新版

動的平衡3

チャンスは準備された心にのみ降り立つ

福岡伸一
Fukuoka Shin-Ichi

小学館新書

本書は二〇一七年一二月に木楽舎より刊行された『動的平衡3』を新書化したものです。新書化にともない、元の文章に修正や加筆を行ったほか、新たな章（第11章）を追加しております。

新版　動的平衡3　チャンスは準備された心にのみ降り立つ

目次

写真協力／アマナイメージズ、アフロ、The M.C.Escher Company - The Netherlands ユニフォトプレス

第1章
動的平衡組織論

理想の詩

詩人たちが言葉の森へ分け入り、自らの思い描く理想の詩を紡ぎ上げるように、研究者にも各々が追い求める「理想の詩」はある。私にとってのそれは、一言でいえば「プロセスを大切にすること」だろうか。私自身、「動的平衡」という概念に一直線に到達したわけではない。私が学んだ分子生物学は、生物を共通のミクロな単位で考えようという学問。研究員時代、細胞の森に分け入り、未知の遺伝子を探して名前をつける作業に没頭した。やっていることは、少年時代の昆虫採集と変わりない。そうやって多くの研究者がミクロのパーツをひとつずつ発見していき、ついにはアメリカ主導の大々的なヒトゲノム計画により、ヒトの遺伝子情報はすべて解読された。

生命は遺伝子という設計図をもとに、ミクロなパーツの組み合わせでできている。分子生物学では、そのように考えるのだ。しかし、そんな機械論的な見方では、生命が持つしなやかさやダイナミズムの説明がつかない。そこで私は、あれこれ思い悩んだ挙げ句、動的平衡という新たな生命の捉え方を思いつくに至った。

そう。教育を考えるとき、そして本を書くとき、私がいつも心がけているのは、プロセスを語ることだ。

何かを説明するとき、学者先生の陥りやすいミスが「とはもの」で説明してしまうことだろう。動的平衡とは……。分子生物学とは……。このように説明するのは確かに簡単だ。しかしそれでは、インターネット上にあふれる情報と何も変わらない。

インターネットの情報にないものは何か。それは、その答えに到達するまでの時間の経緯だ。そこには時間軸が決定的に欠けている。私は、きちんとプロセスをたどって答えに到達しないと、そこに至る喜びが味わえないのはもちろん、その答えをほんとうに理解したことにもならないと思う。

「教養」と「物知り」の違いも、この辺にあるのではないだろうか。教養とは、知識が時間軸に沿って、その人の体験の中にきちんと組織化されていること。一方、物知りはネットのアーカイブのような、知識の羅列でしかない。

私の著書『生物と無生物のあいだ』（講談社現代新書）には「生命とは何か」をめぐる、私自身の認識の旅路が書かれている。読み手も私と同じ船に乗って旅することができるので、おそらく多くの人に読んでいただけたのだろう。時間軸をもって語れば、それは物語になるからだ。「動的平衡とは……」なんて書き出していたら、きっと誰も読んでくれなかっただろう。

この「プロセスを大切にする」という発想は、大学で私の講義を受講している学生たちには、あまり伝わっていないかもしれない。私自身、学生時代は先生の話をあまり熱心に聞いていなかった。何年もあとになって、「先生の言っていたのはこういうことか」と、いくつか気づくくらい。教育とは、そんなものだろう。極めて歩留まりが悪いのだが、かといって、教育に効率や成果を求めてはいけない。

そもそも、私が目指しているのも、役に立たないことなのだ。科学の最終目的は、「生命とはこうなっている」とわかりやすい言葉で語ること。それが語られても役に立たないし、お金儲《もう》けにもつながらない。しかし人生に、ある種の解答を与えられるはず。だからこそ私は、何とかそれを語ろうと努力を続けている。

経済をエントロピーから考える

いきなり大きな物語から入るが、驚かないでいただきたい。宇宙の大原則に「エントロピー増大の法則」がある。エントロピーとは乱雑さのことであり、この世界のすべてのものごとは、時間の経過とともにエントロピーが増大する方向に進む。壮麗豪華な白亜の神殿も年月とともに風化・崩壊し、フェルメールの傑作でさえも退色し、機器も損耗する。整理整頓してあった机もあっという間にファイルや書類の山と化す。いかにすてきな恋愛もまもなく色褪《あ》せる。つまりこの世界では、あらゆる秩序はあまねく崩れ、乱雑になっていく方向にしか進まない。

価値を生み出すこと。商品を作り出すこと。ビジネスモデルを考案すること。利益を生み出すことは、結局のところエントロピー増大の法則に抗《あらが》って、乱雑さの中から秩序を創出することに他ならない。宇宙の大原則に逆らって行う行為である以上——つまり坂を転がり落ちる岩を止めるようなものである以上——エネルギーがいる。そして、最終的には決して宇宙の大原則には勝つことができないゆえに、止めた岩はまもなく転がり落ちてしまう。つまり、ありていに言えば、商行為とは、使ったエネルギーよりも作り出した秩序により大きな価値を創造すること、そしてその秩序が再び無秩序に還《かえ》るまえに、その状態を転移することである。たとえば、川底の土砂の中から、砂金を取り出してくること。精製は乱雑さの中から秩序を生み出す作業、つまりエントロピーを下げる行為である。だからそこに価値が生まれる。逆に、土砂の中に砂金を混ぜること。足し算なので価値が加算されるように見えて、一瞬にして価値は無に帰す。エントロピーが増大するからだ。いったん混ぜたものを再びセパレートするには膨大な労力を要する。しかも混ぜることは常に危険を孕《はら》む。混ぜることで、乱雑さがより拡散することになり、大きなリスクを生み出しうる。

動的平衡としての生命体

絶え間なく増大するエントロピーと必死に闘っているのは何も商社パーソンだけではない。もっとも果敢にエントロピー増大の法則と対峙《たいじ》しているのは何あろう、もっとも高度な秩序を維持している私たち生命体である。いかにして？

私は生命のこの営為を「動的平衡」と名づけた。

生命にとって、エントロピーの増大は、老廃物の蓄積、加齢による酸化、タンパク質の変性、遺伝子の変異……といったかたちで絶え間なく降り注いでくる。油断するとすぐにエントロピー増大の法則に凌駕《りょうが》され、秩序は崩壊する。それは生命の死を意味する。これと闘うため、生命は端《はな》から頑丈に作ること、すなわち丈夫な壁や鎧《よろい》で自らを守るという選択をあきらめた。そうではなく、むしろ自分をやわらかく、ゆるゆる・やわやわに作った。その上で、自らを常に、壊し分解しつつ、作り直し、更新し、次々とバトンタッチするという方法をとった。この絶え間のない分解と更新と交換の流れこそが生きているということの本質であり、これこそが系の内部にたまるエントロピーを絶えず外部に捨て続ける唯一の方法だった。動きつつ、釣り合いをとる。これが動的平衡の意味である。

生命の秩序は、過去三八億年、エントロピー増大という宇宙の大法則と対峙しながら、今日まで連綿と引き継がれてきた。これはエントロピー増大の法則を打ち破ったという意味ではない。打ち負かされそうになりながらも、絶えずずらし、避け、やり過ごしながら、ここまで来た、ということである。つまり生命は大勝することはなかったものの、大敗もしなかった。動的平衡を基本原理として、（大きく）変わらないために（常に小さく）変わり続けてきたからだ。

動的平衡を組織論に応用する

動的平衡の原理を、人間の営み、人間の組織に当てはめて考えることができるだろうか。生命は、細胞、タンパク質、ＤＮＡなどの構築物を作り出しているが、その作り方は基本的には一通りである。これに対して、細胞の解体、タンパク質の分解、遺伝子情報の消去や抑制の方法は、千差万別、何通りもあり、いついかなるときでも分解が滞らないように、何重にもバックアップが用意されている。つまり生命は、作ることよりも、壊すことのほうをより一生懸命にやっている。これは第一義的にはエントロピー増大を防ぐためだが、もうひとつ重要な意味を持つ。それは、常に動的な状態を維持することによって、いつでも更新でき、可変であり、不足があれば補い、損傷があれば修復できる体制をとっているということだ。だからこそ生命は、柔軟で環境に適応的であり、進化が可能になる。そして動的平衡において重要なのは構成要素そのものよりも、その関係性にある、という点だ。

自動車は走りながら故障を直すことなどできない。それは構成要素の機能分担が一義的に決まっていて、しかもその役割が機械論的なアルゴリズムの中に一義的に固定されているからだ。どれかひとつが壊れれば交換するしかない。

しかし生命の構成要素（細胞、タンパク質、遺伝子など）は、絶えず更新され、動的であるがゆえに、その関係性は可変的で柔軟だ。もし何かが欠落するとか、不足したとしても、増減を調整したり、ピンチヒッターになりかわったり、バイパスを作ったりして、問題にすぐに対処できる。構成要素はどれも基本的には多機能性であり、異なる役割を果たしうる。

さらに大切なことは、生命の動的平衡は自律分散型である、ということだ。個々の細胞やタンパク質は、ちょうどジグソーパズルのピースのようなもので、前後左右のピースと連携をとりながら絶えず更新されている。ピース近傍の補完的な関係性（相補性）さえ保たれていれば、ピース自体が交換されても、ジグソーパズルは全体としてゆるく連携しあっており、絵柄は変わらない。

新しく参加したピースは、郷《ごう》に入《い》っては郷に従えの言のとおり、周囲との関係性の中で自分の位置と役割を定める。既存のピースは、寛容をもって新入りのピースのために場所を空けてやる。こうして絶えずピース自体は更新されつつ、組織もその都度、微調整され、新たな平衡を求めて、刷新されていく。

そして個々のピースは、いずれも必ずしも鳥瞰《ちょうかん》的に全体像を知っている必要はない。ローカルで、自律分散型で、しかも役割が可変的であること。これが生命体の強みである。生命は自律分散的な細胞の集合体であり、各細胞はただローカルな動的平衡を保っているだけだ。脳は生命にとって実は「中枢」ではない。むしろ知覚・感覚情報を集約し、必要な部局に中継するサーバー的なサービス業務をしているにすぎない。情報に対してどのように動くかはローカルな個々の細胞や臓器の自律性に委《ゆだ》ねられる。

かつてサッカーの岡田武史《おかだたけし》元監督と対談したときのこと。読書家の岡田監督は、私の動的平衡論を読んで、高く評価してくださった。そして、これは組織論としても応用可能だ、各選手が、自律分散的に可変性・相補性をもって状況に対応できれば最強のサッカーが実現される、という主旨のことをおっしゃってくださった。

この議論をさらに進めれば、自律分散的な動的平衡のサッカーにおいて、少なくとも試合のまっただ中においては、いちいち指示を出す必要のないゲームが実現するだろう。おそらく理想の組織とはそういうものではないだろうか。

生命と情報

生命と情報の問題について、エントロピーの視点から触れておきたい。生命活動にとって、環境から正しい情報を捉えて（餌《えさ》のありか、パートナーの居場所、敵の動向、気温や酸素濃度……）、それに対して正しく応答することが生き延びるために必須である。つまり生命現象という秩序の維持には適切な情報を汲《く》み取ることが必要だ。それを誤ると生命の秩序はたちまち平衡を失い、生存の危機に陥る。つまりエントロピー（乱雑さ）が急増してしまう。この意味において生命にとっての情報収集とは、負のエントロピーを得ること、つまりエントロピーの増大を逓減《ていげん》させる重要な武器となる。ただし、誤ってはいけないのは、生命にとっての情報とは、私たちが普段使っている情報という言葉とは違うという点である。生命にとっての情報とは「変化（量）」である。気温や酸素濃度が急に下がること、血の匂いが立ち上ること、不審な音が聞こえること……その差分――今までなかったものが現れる、あるいはあったものが消える——そのような変化こそが生命にとっての情報である。

私たちはインターネット上の知識やデータなどを情報と呼んでいるが、それは静的なアーカイブ（蓄積）にすぎない。つまり単なる膨大な砂粒でしかない。その中から有用な砂金を検出して選《え》り分けること、その行為が生命にとっての情報収集である。そして次のアクションに結びつかない情報は生命にとって情報ではない。その意味でも生命は常に宇宙の大原則、エントロピーの増大と闘っているのである。

以上、エントロピーの視点から生命の動的平衡について概観してみた。生命の動的平衡を支えるミクロな構成要素（細胞や分子）の融通無碍《ゆうずうむげ》な動態は、たとえば商社という組織を支える構成メンバーのあり方に重ね合わせることができ、その対比から学ぶべきことが見《み》出《いだ》せるはずだ。なぜなら商社もまたダイナミックな生命体、すなわち動的平衡に他ならないからである。

第2章

水について考える

水の都の雨水濾過《ろか》装置

世界の中で好きな街は？　と聞かれたら、迷うことなく私はヴェネツィアと答える。これまでに二度、旅したことがある。ヴェネツィアは海の上に作られた人工の都市。周りも、街のあらゆるところに入り込んでいる水路も、すべて海水だ。井戸を掘っても海水がしみだしてくるだけで真水は得られない。早くも五世紀頃から都市が作られ始めたヴェネツィアで、いったいどのように真水は確保されたのだろうか。

両側に建物が迫る迷路のようなヴェネツィアの小路《こみち》をさまよって歩くと、思いがけず石畳の広場に出ることがある。これはカンポと呼ばれる公共の場所で、大小さまざまなカンポがヴェネツィア中に散在している。そして中央には必ず装飾のついた石造りの構造物。これがポッツォだ。一見、井戸のようだが、単なる井戸ではない。唯一の真水である雨水を集める仕組みなのだ。

真水の確保についてもうひとつ重要なファクターは衛生問題だろう。水にはさまざまなものが溶け込む。細菌や原虫のような感染性の病原体が繁殖していることもありえる。特

カンポの中心に据えられたポッツォ

に雨水のように屋根や樋《とい》を伝って地表を流れる水はきれいな水とは言えない。このような水を飲み水に変えるにはどうすればよいのだろうか。それには濾過を行えばよい。

　カンポの地下は大きな貯水槽になっている。直径十数メートル、深さ四〜五メートル。周囲は止水のため、粘土層で固められている。その内側は砂礫層《されき》になっており、細かい砂粒がつまっている。カンポの周囲には雨水を集めて吸い込む細いスリット状の取り入れ口がついており、雨水はここから砂礫層の中に入って長い時間をかけて濾過されていく。水が砂粒のあいだに浸透するあいだにゴミや細菌などがこしとられるわけだ。そして砂粒の空隙に棲《す》みついた微生物が水中の有機物を分解する。濾過の本質はこの分解にある。観賞魚を飼う水槽の循環式濾過槽も、水槽の下部に敷いた濾過材のあいだに棲みついた微生物によって、魚の排泄《はいせつ》物などの有機物が分解される作用を利用している。あるいは山の湧水がきれいなのは、水が土壌中を通るあいだに自然濾過されるからだ。

　さて、このように雨水はだんだん浄化されていき、カンポの中央のポッツォにしみだしていく。これを必要な分だけ汲《く》み取って使う。それがヴェネツィアに生きる人々が編み出した真水確保の方法だ。おそらく貴重な水の分配には厳しいルールがあったことだろう。

ちなみにヒトが生存のために必要な飲み水は一日、およそ一リットル。食物からも一リットルほどの摂取があり、それらが呼気、発汗、排泄により排出される水の量とつりあっている。

さすがに現在では、本土側から上水道のラインがヴェネツィア島に引かれているので、カンポの濾過装置は使われていない。ポッツォには丸い鉄製の蓋がかぶせられており、広場のモニュメントとして散歩の人が腰かけたりもたれたりしている。

「良質な水」の真実

カンポに面したリストランテでビールを飲みながら、しばしヴェネツィアと水の歴史について思いを馳《は》せてみよう。

新幹線に乗って洗面所を使うと、この水は飲めません、という表示が目に留まる。温泉に行っても似たような文面が湧き出し口に掲示してあるのを見かける。私たちは飲めない水で手を洗い、飲めないお湯に浸《つ》かって、温泉を味わっているのだ。いったい全体、飲めない水とはどういうものなのだろうか？

私たちの身体《からだ》の約七〇パーセントは水でできている。これらの水は身体のどこかにじっとたまっているのではない。絶え間なく流れ、水は身体の中をめぐっている。太い動脈を走る強い流れは枝分れして分流し、やがて微小な毛細血管網となって、棚田のように並ぶひとつひとつの細胞をやわらかく灌漑《かんがい》する。細胞は、この流れから酸素と栄養素を受け取る。と、同時に、流れは細胞から二酸化炭素や老廃物を回収してくれる。全身の細胞から集まったこの流れは、ある場所に向かって進む。そこで水は浄化されるのだ。生物に備わっているこの浄化システムは実に精妙精巧にできていて、驚くべき仕組みになっている。生物の浄化システムは、細胞がひとまず水をまるごと捨ててしまう。そのあとイオンや栄養素などの必要な成分ときれいな水だけを再回収して、残りの要らない部分だけを排泄する。だから活性炭やフィルターを交換したりすることなく、メンテナンスフリーで何十年ものあいだ働き続けられるのだ。

この浄化システムの名は腎臓。あなたの腰骨から一〇センチほど上がった背中側の左右にひとつずつある。

そっと触れてみてほしい。ほら、今もひそやかに、しかし一生懸命働いてくれている。

体重五〇キログラムのヒトの身体に含まれる水分は三〇リットルほどだが、腎臓は一日になんと一七〇〇リットルもの水（血液）を処理しているのだ。つまり、身体の中の水は、1700÷30＝56.66……回も繰り返し、繰り返し、腎臓を通過するわけである。それだけ全身の細胞が絶え間なく新陳代謝を行っているということだ。だからこそ、私たちが健康でいるためには、この絶え間ない流れを維持すること、つまり良質の水を十分に摂取することが何よりも大切になる。

生物は生きていくうえでどうしても真水が必要だ。細胞の中の反応はすべて水の中で行われ、酸素と栄養物は水に溶けた状態で供給され、老廃物もまた水に溶かして捨てられるので、絶えず新しい真水の流れが必要になる。海水に溶け込んでいる大量の塩（塩は、水の中では電気を帯びた状態、つまりイオンになっている）は、細胞の代謝や細胞膜の輸送活動を邪魔してしまうので、海水をそのまま飲んでも生命にとって必要な水にはならない。むしろ害がある。

では、良質の水とはどんな水だろうか。それはできるだけ人工的な操作が加わっていないナチュラルな水、ということだ。水道水は殺菌のために塩素が投入されている。プールに入るとツーンと臭うあれだ。日本の都市部の上水道のほとんどは、湧水ではなく河川から直接取水した水を使用している。河川水には当然、ありとあらゆる雑菌が棲息《せいそく》しているので、それを効率よく殺菌するために大量の塩素が投入されている。日本の法律では水道の蛇口レベルで、〇・一ピーピーエム〝以上〟の塩素が残留していることが定められている。殺菌の徹底を期すために、塩素の最低残存値があるのだ。一方、その上限の定めはない。主要な諸外国では上限がある。ドイツ、フランス、アメリカは、順に、〇・〇五、〇・一、〇・五ピーピーエムが上限だ。そのため、日本の水道水にはかなり高濃度の、おそらく〇・五から一・〇ピーピーエムレベルの塩素が含まれていると考えられる。外国ならば上限オーバーの値だ。それだけではない。今ではありとあらゆる水に塩素が投入されている。銭湯や大規模入浴施設、それから多くの天然温泉にも塩素が入っている。「この水は飲めません」といった表示が湯口などに書いてある場合、それは高濃度の塩素が入っているということになる。もちろん塩素は毒だ。その酸化力で瞬時に細菌を殺す。私たちの身体に対しては重大な障害こそもたらさないものの、細胞には負担になるだろう。消化管に共存して私たちを守ってくれている腸内細菌も干渉を受けるはずだ。魚類などのペットには水道水を直接使うことができない。かならずカルキ抜きが必要になる。カルキとは塩素のことだ。塩素は他の化学物質と反応してトリハロメタンなどの有害物質を生み出すことも知られている。

のどが渇いたときは、適度に冷えた、身体のすみずみにいきわたるようなしっかりした味のナチュラルな水を飲みたいものだ。ナチュラルな水とは、谷筋や山の麓《ふもと》から自然に湧き出す水のこと。雨となって山や森に降りた水は地表にしみ込む。そして長い時間をかけて土壌や岩石のあいだを通り抜けていく。この間、水は自然の濾過の力によって浄化されていくことになる。伏流水は谷筋や山の麓で湧水となって地表に現れる。湧水は昨日今日にできた水ではない。何年、何十年、場合によっては何百年もかけて自然が作り出したものなのだ。

一方、水が地下を通り抜けるあいだに、岩石に含まれるミネラル（金属）イオンが水の中に溶け込む。これらミネラルが水においしさをあたえてくれる。適度な量のミネラルは生物の生存にとって必須のもの。酵素反応や代謝を円滑にすすめるために必要だ。ミネラルの代表は、カルシウムイオンとマグネシウムイオン。これらのミネラルをたくさん含む湧水は、硬水と呼ばれ、しっかりした味の水となる。一方、ミネラルの量が比較的少ない水は、柔らかくやさしい味の軟水。場合によっては炭酸を含んだ水、天然のソーダもある。自分の舌を使って好みの水を見つけてみるのもいいだろう。

水と生命体の界面で

水は、栄養素、ミネラル、酸素など、生命に必須な要素を溶かし込んで、運んでくれる媒体だ。そして生命現象に関わる反応はすべて水の中で生じる。かくも必要不可欠な水は、同時にまた、生命体にとって危険なものをもたらす媒体でもある。生命はそのようなリスクに対しても巧みな仕組みを用意して対応している。

かつて昆虫少年だった私は、新種の蝶《ちょう》の採集を夢みていたが、ついぞ果たされることはなかった。その後、分子生物学者となった私は、虫捕り網を遺伝子工学の実験器具に持ちかえて、遺伝子ハンターとなった。細胞の森の中に分け入って遺伝子を探すのだ。私は大発見をなすことはできなかったが、いくつかのささやかな小発見をすることになった。そのひとつが機能不明の遺伝子ＧＰ２を見つけたことだった。ＧＰ２は、膵臓《すいぞう》や消化管の細胞で活動している。しかしその役割はなかなかわからなかった。消化管は生体と外界が接する最前線。日々、大量の水と栄養素の吸収を行っている。

ごく最近になって、GP2の役割がようやくわかってきた。それを説明するために、まず消化管のトポロジーを知っていただく必要がある。トポロジーとは空間的思考のこと。物理や化学と違って、生物学にはあまり難しい数学が必要になることはないが、空間的に考えることが大切になる局面があるのだ。

私たちの消化管は、お腹の中にあるように思えるが、口と肛門《こうもん》で外界と直接つながっている。いうなれば、ちくわの穴のようなもの。つまり消化管の内側はトポロジー的には外側なのだ。それゆえ、水や食べ物、空気に由来する外来の病原微生物の襲来を常に受けている。それに対抗するため消化管には免疫システムが備わっている。最前線に位置する防人《さきもり》だ。ここで、外敵を認識し、これに対して抗体を作ったり、マクロファージを動員したりして戦う。ここで重要になるのが、トポロジー的思考。外敵がやってくるのは消化管の内腔《ないこう》側、つまり、ちくわの穴側だ。一方、免疫システムは消化管の血管側、つまり、ちくわの身の中にある。外敵が大挙して血管側に侵入してきたときに、初めて免疫システムが作動していたのでは手遅れ、大変なことになってしまう。だから消化管の内腔側にやってきた病原体を事前に捕捉して、免疫システムに知らせる「細菌受容体（レセプター）」が必要となる。

実は、ＧＰ２こそがこの「細菌受容体」だったのだ。ＧＰ２は、消化管細胞の内腔側表面にアンテナのように突き出して存在している。そしてサルモネラ菌のような凶悪な病原体が腐りかけの食物や水に混じってやってくるとこれを捕まえる。そのあとＧＰ２はサルモネラ菌と結合したまま細胞の中を横切って、血管側に待機している免疫細胞にサルモネラ菌を引き渡す。ＧＰ２は門衛役なのだ。ＧＰ２の知らせによって、免疫細胞は抗体を準備したり病原体を捕食してしまうマクロファージを動員したりして、警戒態勢を敷くことができる。

消化管におけるこのような細菌受容体の発見は世界で初めてのことだった。機能が長らく謎だったＧＰ２には隠れた働きがあったのだ。この発見は高く評価され、科学専門誌『ネイチャー』に掲載されることになった。

水は絶えず私たちの身体の中を通り抜け、流れている。つまり生命はいつも水に接して、水に支えられて生きているのだ。水と生命体が出会う界面では、栄養素、ミネラル、酸素などのやり取りがあると同時に、さまざまな情報交換、あるいは、せめぎ合いが行われているというわけである。

ニューヨークの真水事情

私は今、ニューヨークに暮らしている。三〇年以上も前のこと、学者の卵としてここで研究修業をしていた。その同じ場所、ロックフェラー大学に戻って、勉強をし直しているのだ。修業していたときは、初めての海外生活の緊張と、とにかく研究の成果を挙げなければならない焦燥感から、日夜仕事に必死で、ニューヨークを楽しむ余裕はほとんどなかった。そのときと比べれば（あれから私は何か大きなことを成し遂げたわけではないが）、今回は客員教授として逗留《とうりゅう》しているので、季節の移り変わりや街のあれこれを眺めるだけの余裕ができたように思う。

私の好きな散歩コースは、壮麗なメトロポリタン美術館や奇抜な渦巻き模様のグッゲンハイム美術館の前を通って、セントラルパークに入るルートだ。通りから一段上がった土手の上に登ると、目の前に突然、広大な水面が青々とひろがる。向こう岸までざっと五〇〇メートルほどはあるだろうか。周りは樹々が茂っているが、その向こう側にはマンハッタンの高層ビル群が垂直に屹立《きつりつ》して並んでいる。このコントラストの鮮やかさはニューヨークならではだろう。ここには、ジャクリーン・ケネディ・オナシス・リザヴァーという名前がついている。

一八世紀から一九世紀にかけて、ニューヨークにどんどん人が集まるようになると、いかに都市に新鮮な真水を供給するかが大きな問題となった。市内各所に掘られた公共井戸だけでは到底まかないきれない。市北部を流れるクロトン川から導水路が建設されることになった。

私の住んでいるアッパーイーストサイドからマンハッタンを北に上がったところに古風なアーチ型の橋がかかっている。車や人が渡る橋ではなく、クロトン川から導水路がマンハッタンへ渡る水道橋だ（老朽化のため現在は水道橋としては使われておらず、公園として整備されている）。

さて、さらに二〇世紀になって人口が増加を続けると水需要がより高まってゆく。幸いニューヨーク州は、北に自然豊かなキャッツキル丘陵地帯がある。そこから長大なトンネルを掘ってニューヨーク市街へ水を導くことになった。難工事を経て地下水路は完成したが、現在でも水道網の整備は続いており、ニューヨーク市の地下には人知れず巨大なトンネルが縦横無尽に走っている。トンネルと水道本管の総延長は一万キロメートルを超え、ニューヨーク市（人口約八〇〇万人）およびその周辺地域に、毎日一〇億ガロン（三七八・五万立方メートル）以上の水を供給しているそうだ。

リザヴァーはいざというときのため、一時的に水を確保しておく貯水池だ。マンハッタンのど真ん中にあるこのリザヴァー、なぜ〝ケネディ〟なのだろうか。ちょっと調べてみるとわかった。ダラスで悲劇的な最期を迎えたケネディ大統領の妻、ジャクリーンと幼い子どもたちは、事件の喧噪《けんそう》を逃れて、この近くの高級アパートに暮らした。子どものひとりの名前はキャロライン。そう。二〇一三年に駐日大使として赴任し、注目を集めたあのキャロライン・ケネディさんだ。

ニューヨークの水道水（タップウォーター）はおいしいことで評判だ。これは大都会にしては希有《けう》なこと。都市河川から取水しているのではなく、州北部の清浄な水源地から直接引いてきているからだ。

少し前に、ニューヨーク市では、「水道水を飲もう」というロハス運動が起こったほどで、市民の環境意識は高い。ニューヨークの水道水のボトル詰め商品まで登場した。

ニューヨークの水道水は原水が清浄だとはいえ、もちろん塩素による殺菌はされている。しかし濾過はしていないので、塩素殺菌だけではどうしても除去しきれないジアルジアやクリプトスポリジウムといった微生物がごく微量検出されることがある（水道局が定期的にデータを公表しているが、健康に問題のある数値ではない）。最近では、最新の紫外線殺菌システムの導入も進められているそうだ。そのような事情もあって、健康志向のレストランやコーヒー店では浄水器を設置して、より安全な、濾過した水をサーブしているというのが現実の姿だと思われる。

なので、レストランに入って「お水はどうしますか？」と聞かれた場合、どうしても気になる人はボトル入りのミネラルウォーターを注文すればよいのだが、私はだいたいタップウォーターをお願いすることにしている。

過日、たまたま浄水器などの製造販売を行っているメイスイの永井会長がお仕事で立ち寄られたので、ミッドタウンの街角に古くからあるイタリア料理店の二階でお食事をご一緒した。そのときもタップウォーターを頼むと、ウェイターは冷たく澄んだ水をきれいなグラスになみなみと注いでくれた。とはいえ、私たちはすぐにワイングラスのほうに移っていったのだが……イタリアンなので、まずは白のピノ・グリージョから。歓談のうちにニューヨークの夜はふけていった。

こんな小話をどこかで読んだことがある。孫がおばあさんにたずねる。「ねえ、おばあちゃん。昔に比べて何が一番便利になった？　車？　電話？　冷蔵庫？」「いやいや、なんといっても一番便利になったのはこれじゃよ！」。そう言っておばあさんは勢いよく蛇口をひねって水をほとばしらせた……。きれいな水がいつでも、どこでも、いくらでも得られること。考えてみれば人類が達成した都市文明の中でこれほど重要なものもない。しかし今日、それがあまりにも当たり前になりすぎて、私たちはしばしばその重要性を忘れがちである。忘れがちであるどころか、過小評価さえしている。これを反省し、今一度水道水の重要性を再認識しようという気運が、私の住むニューヨークをはじめ、米国各地で高まっている。

たとえば名門コーネル大学やニューヨーク大学では、Take Back the Tap キャンペーンが展開されている。ペットボトルをやめて水道水に戻ろう、と呼びかける。自分で水筒を持参し（マイボトル）、構内のリフィル施設で水道水を補給する。このことによって廃棄物として環境負荷の高いペットボトルの使用を低減させようというわけだ。

西海岸でも気運が盛り上がっており、カリフォルニア大学バークレー校では構内に水道水ステーションが設けられ、I♡Tap（アイラブ水道水）運動が進められている。マイボトルで水を汲むたびに、「これで○本のペットボトルをセーブしました」という表示が出るそうだ。さらには、サンフランシスコ市では、公用地での二一オンス（約六二一ミリリットル）以下のペットボトル水販売禁止条例（全米初。罰金は最大で一〇〇〇ドルほど）が二〇一四年から施行された。

昨夏、独立記念日の花火大会を見物にでかけたときのこと、川沿いの広場になにやら人だかりがしている。近づいてみると、ニューヨーク市が設置している臨時の飲み放題水ステーションだった。

もちろん地域によっては、どうしても水道水の硬度（ミネラルイオン含有量）が高くなり、料理（特に出汁《だし》をとるような和風料理）に不向きであったり、洗髪後に髪がきしんだりといった問題があり、フィルターの使用やボトル水の購入が必要な場合もあるだろう。

とはいえ、水道水回帰はアメリカ全体の新しいトレンドと言っていい。街を歩いてビルの屋上を見上げると、年季の入った大きな貯水タンクがあちこちに設置されていることに気づく。州の北部の水源地からやってくる水は街のすみずみにまで引かれ、いったんビルの上にまで持ち上げられてから各戸に供給される。これがニューヨークのスカイラインに独特の都会的な風合いをもたらしている。高い澄んだ空に映えるマンハッタンのタンクを眺めながら、水のあり方にあらためて思いを馳せた。なんだかおいしい水を飲みたくなってきた。

第3章

老化とは何か

「分化」とは

生命の時間はおよそ三八億年と考えられている。もっとも初期の生命の痕跡がこの年代の地層にまで遡《さかのぼ》れるからである。それは原始的な単細胞生物だった。そのあと二十数億年という時間をかけて生物はゆっくり進化を遂げていくことになるが、この間、生物はずっと基本的に単細胞のままだった。

ところが今から約一〇億年ほど前、生命の進化に大きな大きな跳躍が起きた。この跳躍ゆえに今日、私たちヒトも存在しうるのである。

それは生命が多細胞化したということだった。それまで単細胞生物は分裂すると二つに分かれて、それぞれ別々の道を歩んだ。この時点で細胞の一世代は終わり、次の世代が始まった。ところがあるとき、細胞は分裂してもくっついたままでいることを選んだ。細胞は増殖するにつれ、二、四、八、一六、三二と、二の倍々で数が増えていく。そのまま集合しているだけでは単細胞生物が「群体」を形成しているにすぎない。ボルボックスという生命体は、以前は、細胞が集合した群体と考えられていたこともある。しかし、ボルボックスをよく観察すると細胞が分業していることがわかる。ひとつの細胞の分裂から始まった細胞の集合体の内部で、細胞に個性が出てくること、細胞が機能を分担して分業化すること、これを「分化」と呼ぶ。

私たちヒトの身体《からだ》は、脳の細胞、皮膚の細胞、消化管の細胞、筋肉の細胞、内臓の細胞というように役割を分担している。内臓でも肝臓と膵臓《すいぞう》は異なる分化を示し、同じ膵臓でも内部には消化酵素を分泌する外分泌細胞とインシュリンなどのホルモンを生産する内分泌細胞がある。ヒトの身体はおよそ二〇〇種類以上の分化した細胞が合計で約三七兆個も集合した多細胞生命体としてある。これらの細胞は遺伝子が違うから分化しているわけではない。多細胞生物の細胞はもともとひとつの細胞（受精卵）が分裂してできたものである。ゆえに遺伝子はコピーされて等しく分配されている。だから分化とは、同じ遺伝子を持つ細胞が、異なる仕事をしているということになる。

いったいなぜこのようなことが可能となるのだろうか。それはスイッチのオン・オフとボリュームの強弱による。

多細胞生物の細胞が共有している遺伝子とは、受精卵に由来するゲノムＤＮＡのことで、細胞内の核という小区画の中に折りたたまれて格納されている。

これは、いってみれば細胞が使うすべてのタンパク質の総カタログである。ヒトの場合、その数はおよそ二万三〇〇〇種類であり、その仕様情報がゲノムＤＮＡに暗号化されて記載されている。

重要なポイントは、このおよそ二万三〇〇〇種のタンパク質のうち、それぞれの細胞で使われるものは、分化した細胞によって異なる、ということである。膵臓の外分泌細胞では、消化酵素タンパク質の情報がゲノムＤＮＡから読み出され使用される。膵臓の内分泌細胞ではインシュリンの情報がゲノムＤＮＡから読み出され使用される。その逆はない。

ゲノムＤＮＡに記載されている個々の情報は、まずＲＮＡ（リボ核酸）というものに転写される。ＲＮＡの情報はタンパク質に変換される。タンパク質になって初めて機能が発揮される。だから遺伝子のスイッチ・オンとは、ゲノムＤＮＡが、ＲＮＡに転写され、それがタンパク質に変換されることを指す。

ひとつの細胞には一セットのゲノムＤＮＡが存在しているが、ひとつのＤＮＡからたくさんのＲＮＡを合成することができる。ＤＮＡが版木で、ＲＮＡは版画であると言ってもよい。そしてひとつのＲＮＡからは多数のタンパク質を合成することができる。もしある特定のＤＮＡから五〇個のＲＮＡが転写され、それぞれのＲＮＡから五〇個のタンパク質が作られれば、ＤＮＡの情報は、50×50で二五〇〇倍に増幅されたことになる。この増幅の幅が、遺伝子情報のボリュームに相当する。

つまり分化とは、ゲノムＤＮＡの情報のうち、どれとどれを使うか——言い換えれば、どの情報のスイッチをオンにし、どの情報のスイッチをオフにするか——ということの差異である。これによって細胞を専門化し、分業させることが可能となる。そしてオンにした情報をどの程度、増幅して使うかによっても、つまりボリュームコントロールによっても細胞に個性を持たせることができる。

多細胞化のプロセスはまさにこのような情報の制御によって実行されているのである。

早老症の解明

ウェルナー症候群、あるいはコケイン症候群と呼ばれる不思議な病気がある。奇妙な病名は、それぞれ発見者の名前に由来する。老化現象が極端に早く進んでしまう早老症である。まだ若いうちから（症例によっては子どものうちから）、老人特有の見かけや症状が出る。皮膚にシワが寄り、白髪になり、白内障や骨粗鬆症《こつそしょうしょう》を呈する。あるいは太陽の光を浴びると炎症を起こし、なかなか治らない。

この病気は、ある家系に多発する。つまり遺伝病である。父親と母親に素因があると、父親と母親は発症しないにもかかわらず、その子どもはおよそ二五パーセントの確率で早老症を発症する。メンデルの法則である。

メンデルの法則をおさらいしておこう。通常、私たちの遺伝子はどれも父親由来のものと母親由来のもの、つまりペアで存在する。今、老化に関係するある遺伝子Ａを想定し、正常な場合をＡＡと表記する。これを遺伝子型と呼ぶ（Ａを父母からひとつずつ受け継ぐ）。

自然のいたずらによって、遺伝子Ａが変調し、働かなくなる場合を考える。突然変異によって遺伝暗号の一部が書き換わるなどのケースだ。変調して機能を失った遺伝子を小文字ａで表す。

両親から受け継いだ遺伝子のうち、たとえどちらかの遺伝子が変調していたとしても、もうひとつの遺伝子が正常ならば、それが機能をカバーしうるので、見かけ上、異常は顕在化しない。このような場合の遺伝子型は、Ａａ（もしくはａＡ）と表記できる。早老症は、Ａａという遺伝子型を持った人では発症しない。ただ素因を持つことになる。ところがＡａという遺伝子型を持った人同士が結婚し、子どもができると何が起こるだろうか。

精子もしくは卵子が形成される際、親の遺伝子は半分ずつに分配される。つまり、Ａａという遺伝子型の親の精子もしくは卵子は、Ａまたはａという遺伝子型になる。どちらになるかは五〇パーセントの確率である。そして、それが互いに合体し、組み合わさるパターンは、ＡＡ、Ａａ、ａＡ、ａａの四通りとなり、いずれもが理論上二五パーセントの確率で出現することになる。

このうち、前三者の遺伝子型はどれも正常遺伝子Ａが含まれているので、病気は発症しない。ＡＡはまったくの正常、Ａａもしくはａａは、素因を持つが、外見上は正常である。ａａという遺伝子型になった場合のみ、遺伝子Ａの働きが失われてしまうので、早老症が引き起こされる。

ただし、確率というものは、ちょっと考え方が難しいので注意を要する。上記の例は、四人子どもがいれば必ず一人が発症する、という意味ではない。二五パーセントの確率というのは、もしたくさんの子どもが生まれれば、そのうちおよそ二五パーセントの子どもが発症する、という意味である。たとえば、ヒトの場合現実にはありえないが、一〇〇人の子どもが生まれれば、およそ二五人が発症する計算となる。しかも卵子と精子の結合はランダムに起こるので、ぴったり二五パーセントとなるわけではない。母集団が大きくなればなるほど、二五パーセントに近づくという意味である。

遺伝子aが早老症の原因であるのなら、遺伝子Aは、老化をできるだけ防ぐ働きを持つと考えることができる。普通なら遺伝子Aの作用で、ゆっくりと年相応に老化は進行するが、その機能に異常があるため、老化が促進される。ならば遺伝子Aが、どんなものので、どんな働きをしているかを突き止めれば、老化という、生物学上もっとも大きな謎に迫ることができることになる。

早老症の患者さんはたいへんな難病を抱えることになり、その苦痛は想像にあまりある。一方で、遺伝病としての早老症は、生命現象の研究にたいへん貴重な示唆をもたらしてくれる可能性があるのだ。

かくして老化遺伝子Ａの探査が始められた。病気がメンデルの法則によって遺伝しているという現象がわかったとしても、その原因遺伝子を突き止めることは容易なことではない。

同じ家系内で発症した人としていない人の遺伝子をくまなく比較し、発症した人に存在し、発症していない人には存在しない遺伝子上の傷の有無を調べなければならないのである。ヒトゲノムの文字数は約三〇億。それは、膨大なページ数からなる古文書を一文字ずつ比較して、その違いを調べるような気の遠くなる作業となる。

何年にもわたる綿密な研究の結果、とうとう研究者たちは、早老症を引き起こす遺伝子を突き止めた。複数の研究者たちが激しい競争を展開して発見に至ったのである。すると奇妙な一致が判明した。ウェルナー症候群でも、コケイン症候群でも、変調をきたしていたのは、ＤＮＡの修復に関わる仕組みを担う遺伝子だったのだ。

ＤＮＡの修復システムについて説明しよう。私たちの細胞内には細胞核という球状の区画がある。その中にＤＮＡは折りたたまれて格納されている。細胞が分裂するとき、ＤＮＡは複製され、倍加し、それが娘細胞にそれぞれ分配される。ＤＮＡの複製はＤＮＡ

合成酵素によって極めて厳密に行われる。が、それでも時として写し間違いが起こる。誤植のようなものである。DNAは二本の鎖がジッパーのように向かい合って、よりあわさった対構造をしているので、誤植が起こると、ジッパーの途中で、一か所、嚙《か》み合わせが浮いてしまう部位が生じる。DNA修復システムはそんな部位を発見すると、その異常をいったん壊して取り除く。つまりジッパーの浮いた箇所を分解し、それからもう一度、嚙み合わせがちゃんと整うように作り直すのである。

同じようなミスは、DNAの情報が、RNAに読み出されるときにも生じる。あるいは、酸化ストレス、紫外線や放射線、有害物質などの外的な要因によってもDNAは傷つく。こんなときもDNA修復システムが働いて傷を治してくれる。

早老症では、DNA修復システムの一部に問題が生じ、この仕組みがうまく働かないのである。するとどうして老化が促進されてしまうのだろうか。ここに老化というものの正体が隠されている。老化とは風化に似ている。豪華絢爛《けんらん》に造られた荘厳な宮殿も、長い年月のうちに、傷つき、色褪《あ》せ、虫に食われる。釘《くぎ》がさびたり、建材が劣化したりする。形あるものは、時の流れとともに、形が崩れる方向に変化する。秩序も、無秩序の方向へ動く。宇宙の大原則、「エントロピー増大の法則」である。生命という高度な秩序ももちろん例外ではない。ただし生命体は、ただ風化されるがままになっているのではなく、それに必死に抵抗している。絶えず分解と合成を繰り返し、パーツを更新し、たまりやすい酸化物質や変性タンパク質をできるだけすばやく捨て、あるいは汲《く》み出す。ミスや損傷が起こればそれを修復して手当てをする。

もしその修復が滞ればどうなるだろう？　ミスや損傷がたちまちのうちに細胞の中に滞留してしまうことになる。これがすなわち早老症なのだ。

逆に言えば、私たちはすでに普段、ミクロな細胞レベルで、必死にアンチエイジングをしているのである。必死にアンチエイジングを行っても、結果的にエントロピー増大の法則という名の風化作用に、徐々に負けていくプロセス、それが老化なのである。

第4章

科学者は、なぜ捏造《ねつぞう》するのか

STAP細胞騒動を振り返る

科学上の発見ということを超えて、社会的な流行現象にまでなったSTAP細胞。

二〇一四年当時、あれほどまでにメディアが過熱して報道し、注目の的になったのは、なんといっても、STAP細胞の発見者・小保方晴子《おぼかたはるこ》さんが、白衣のかわりに割烹着《かっぽうぎ》をまとい、研究室の壁をパステル色に染めていたという、まだ駆け出しの女性研究者だったことによる。

とはいえ、彼女の個人的な人となりばかりが先行して、中学時代の作文が発表されたり、身につけている指輪の値段が報道されたりというのは、どう考えても行き過ぎである。

理系女子たちの応援歌になることはもちろん好ましいことだが、若い女性だということだけでメディアが興味本位に取りあげるのだとすれば、それは逆に女性差別である。

iPS細胞作製の技術が初めて登場したときも、革新的な発見としてセンセーショナルに報道されたが、発見者である高橋和利《かずとし》さんと山中伸弥《しんや》さんの個人的なあれこれが取りあげられることとは、少なくとも発見当初はなかったはずである（彼らの人物像がクローズアップされたのは、山中さんがノーベル医学・生理学賞を受賞したあとのこと)。だから、小保方さんのことも、もし人物伝として取りあげるのであれば、彼女の研究が第三者の検証によって裏付けられてからでも決して遅くはなかったはずだ。

われわれが、これほど前のめりの勢いで、この科学ニュースに接することができてしまったのは、なんといっても、先行するiPS細胞の華々しい展開と成功によって、ある意味で「予習」ができていたから、ということは言えるかもしれない。

もう一度復習してみよう。

私たちの身体は約三七兆個の細胞から構成されているが、そのほとんどは役割が決定づけられた細胞、つまり分化細胞である。分化細胞は、筋肉なら筋肉細胞として、脳なら神経細胞として、形も違えば、働きも異なる。どの分化細胞も、もとはといえば精子と卵子が合体してできた受精卵が細胞分裂をしたことによってできてきた細胞である。つまり細胞分裂のごく初期の段階では、将来、どんなものにでも分化できる潜在能力を秘めつつ、まだ何ものにもなりきれていない細胞だった。このような細胞を我々は万能細胞と呼んでいる。もう少し正確に言えば、ほんとうに何にでもなりうる万能細胞は受精卵だけであり、そこから少し先に進んだ段階の細胞は、多彩な分化状態になりうる細胞という意味で、多分化能幹細胞と呼ぶ。多分化能幹細胞はしかし、万能細胞ではない。多分化能幹細胞一粒は、神経細胞や筋肉細胞になることはできても、受精卵のようにまるまるひとつの個体を作り出すことはできない。

さて、STAP細胞が登場するまでは、多分化能幹細胞の代表選手は、ES細胞とiPS細胞だった。ES細胞は、受精卵が細胞分裂を進め、数百の細胞群からなる胞胚《ほうはい》という状態に至ったとき、その細胞群をバラバラにして、その中から取り出された。ES細胞は、今後、いろいろな細胞になりうる可能性を秘めながら、何ものにもならず、ただ未分化状態のまま分裂だけを繰り返す細胞、いうなれば永遠の自分探しをしている細胞ということができる。ES細胞に適切な情報（ホルモン、薬物、成育環境など）を与えることによって、一定の分化状態へ導くことができる。だからES細胞は再生医療のための切り札とされ注目されることになった。マウスES細胞が作られて研究された後、ヒトES細胞も作製された。ES細胞を発見したエバンズ博士はノーベル賞に輝いた。

ただし、ES細胞には大きな問題点が二つあった。まずは受精卵（から出発した胞胚）を破壊することによって作られること。これは受精卵を生命の出発点と見なす考え方に立てば、殺人行為になる。つまり大きな生命倫理的な問題を孕《はら》む。もうひとつは、あるＥＳ細胞から作られた分化細胞を、もし治療に使うとすると、それは他人の臓器を移植することと同じ行為なので、かならず拒否反応が起こることになる。これを防ごうとすると、強力な免疫抑制剤を使うか、あるいは自分自身の細胞からＥＳ細胞を作り出す必要があるが、自分自身はかつて受精卵から出発したわけだが、今では分化が終了しているので、ＥＳ細胞を取り出せる状態に逆戻りすることは不可能、ということになる。

この問題点を鮮やかに打破したのが、ｉＰＳ細胞だった。いったんは分化してしまった身体の細胞、たとえば皮膚の細胞を、もう一度未分化状態、すなわち限りなくＥＳ細胞に近い状態に戻すことが可能だということが示されたのだ。ただし、そのためには、いくつかの外来遺伝子を、特別な遺伝子工学的手法によって、細胞の中に導入してやる必要がある。つまり人工的に細胞を改変しなくてはならない。これが細胞に悪影響を及ぼすのではないか、という点が懸念された。実際、がん化や遺伝子に問題が見出《みいだ》されるケースが存在する。

そんなところに、ＥＳ細胞でもなく、ｉＰＳ細胞を作るような複雑な操作を施す必要もなく、極めて簡単な方法で、多分化能幹細胞を作り出せる可能性が示されたのである。それがＳＴＡＰ細胞。弱い酸性の溶液に細胞を浸けるだけでよい、というのだ。世界中が瞠目《どうもく》した。

ＳＴＡＰ細胞への逆風

優れた可能性を持った多分化能幹細胞をごく簡単な方法で作り得た——全世界が瞠目したＳＴＡＰ細胞の発見をめぐる状況がにわかに揺らぎ始めた。

そもそも日本のメディアが連日報道したのは、発見者の小保方晴子さんが若い理系女子だったからだが、なんといってももっとも権威ある科学専門誌『ネイチャー』に二つの関連論文が同時に掲載されたこと——つまり厳しい審査を経ているはずだということ、そして共著者に理化学研究所——日本を代表する再生医療研究のメッカの錚々《そうそう》たるメンバー、およびハーバード大学医学部——言わずと知れた世界最高峰の研究機関の有名教授陣が名前を連ねていたという事実も、発見の信頼性に多大な後光効果をもたらしていたことは確かだった。

これまで再生医療の切り札として研究が先行していたＥＳ細胞やｉＰＳ細胞（いわゆる万能細胞）の作製よりもずっと簡便（弱酸性溶液に浸けるだけ）なのにもかかわらず、より受精卵に近い状態に初期化できている（ＳＴＡＰ細胞は、胎盤にもなりうるというデータが示されていた。胎盤となる細胞は受精卵が分裂してまもなく作られる。ＥＳ細胞やｉＰＳ細胞はもっとあとのステージの状態なので逆戻りして胎盤になることはできない）。ＥＳ細胞のように初期胚を破壊する必要もなく、ｉＰＳ細胞のように外来遺伝子を導入する操作も必要ない。ただストレスを与えるだけで、細胞が本来的に持っていた潜在的な多分化能を惹起《じゃっき》させうるという、これまでの常識を覆す、意外すぎる実験結果だった。私の周囲の幹細胞研究者にも聞いてみたが、皆一様に大きなショックを受けていた。それは正直なところ嫉妬に近い感情だったかもしれない。

しかしほどなくＳＴＡＰ細胞に対して逆風が吹き始めた。それはネット時代の科学研究のあり方を象徴するように、ソーシャルメディアを通して表れた。少し前であれば論文はすべて紙ベースの専門誌として公刊された。もし反論や疑義があればこれまた紙ベースの論文の形で刊行されることになり、議論にはたいへん長い時間――場合によっては年単位――がかかっていた。ところが現在、多くの論文誌は紙ベースの刊行を残しつつ、電子版としてネット上に公開されるようになった。データ（グラフだけでなく、細胞の写真やDNA実験の画像など）もすべてファイルとしてアップロードされる。だから瞬時に世界中の研究者がそれを仔細《しさい》に検討することができるようになり、リアルタイムでレスポンスできるようになった。意見や議論を持ち寄るサイトも立ち上がっている。

最初に、DNA実験の画像データの一部に、切り貼りされた痕跡があると指摘された。まもなくSTAP細胞が胎盤になりうることを示した細胞発光のデータにも疑義が示されるようになり（これは共同研究者の一人が、写真を取り違えたことによる単純ミスだと釈明した）、また、いったん分化した細胞が初期化されたことを示すデータも、当初考えられていたような免疫細胞のT細胞由来の分化細胞のものではないのではないか、ということが遺伝子解析の結果から示唆されることになった（T細胞であれば遺伝子再編成が起こり、細胞が初期化されても元に戻らないはずなのに、再編成が見つからない）。おまけに論文のテキストに、他の論文からコピー・アンド・ペーストしたのではないか、と疑われる箇所が出てきた。

その後、展開した大騒動についてはご記憶の読者も多いことだろう。結果的にSTAP細胞は幻に消えた。誰もSTAP細胞の作製を再現することはできなかった。ひとつ言えることがあるとすれば、iPS細胞作製の成功以来、生命科学がテクノロジーに走りすぎ、「作りました、できました」という成果がもてはやされすぎる風潮がある。この問題もその延長線上に起きたのは間違いない。科学は本来、もっとじっくり「How（どのように生命現象が成り立っているのか）」を問うべきものだ。

STAP細胞の実在性に著者らが信念を持っていたのであれば、論文を撤回すべきではなかった。訂正や続報を行うべきだった。論文を撤回したことによって、故意のデータ操作・捏造など不正があったとみなされた。

不適切と不正の切り分け、つまりどこまでがほんとうで、どこからが嘘《うそ》なのか。嘘にどこまで作為があるのか。こうした点が明確にならないと、科学界に広がった多大な混乱と浪費は回収できない。どこにどのような問題があったのか著者は最後まで明確に説明できなかった。

さらに言えば、問われるべきは著者の責任だけではない。多くのメディアは、当初、ネイチャー・理研・ハーバードといったオーラを与信として、若き理系女子の偉業を翼賛・称揚する一方、疑義が出てくると一転、手のひらを返した。つまり研究内容に対して冷静に解読する自律性がなかった。若手を独立研究ポジションに抜擢《ばってき》するのは推進されるべきだが、研究者の基本姿勢や倫理観を育てる科学教育のあり方は十分だったのかという論点はきちんと掘り下げられることがないままだった。

この事例は論文発表直後から、世界中の研究者の集合知的なあら探しによって問題点があぶりだされた。最高権威だったはずの『ネイチャー』の審査が機能せず、草の根的なネット上の集合知が機能した。ランディ・シェックマン（二〇一三年ノーベル医学・生理学賞）が主張しているネット上のオープン・アクセス・ジャーナルがはからずも実現したという点でも興味深い。

第5章

記憶の設計図

ゴルジ体の謎

ゴルジ体、という言葉をどこかで聞いたことはあるだろうか。たとえば高校の生物学の時間。細胞の中にはミトコンドリア、植物なら葉緑体、そしてゴルジ体などの細胞内小器官がある。ミトコンドリアはエネルギー生産、葉緑体は光合成、そしてゴルジ体は分泌に関わっている。教科書にはそんなふうに説明されている。ミトコンドリアや葉緑体に比べて、ゴルジ体は影が薄い。ミトコンドリアや葉緑体は特別なかたちと模様を持った立派な構造物としてある。しかしゴルジ体は、まるでいく筋かのうろこ雲が寄り添ったような、おぼつかない不定形の存在である。その役割も「分泌に関わる」とあるが、どうも意味がよくわからない。

実際、細胞を顕微鏡で見たとすると、ゴルジ体は一定のかたちをとっておらず、極めて影が薄い。ほんとうにあるかどうかもよくわからない。細胞の中の物質の輸送、そして細胞の中から外へ向けての分泌を詳細に解析したことで有名になった細胞生物学者ジョージ・パラーディも、最初、電子顕微鏡で細胞を観察した際、藻くずのようにしか見えないゴルジ体は、実験の途中に生じた人工的なノイズではないか、と考えた。

これは科学においてはよく起こる。顕微鏡観察に当たって科学者は細胞を薄くそぎ切りにして切片を作る。この際、サンプルの一部に小さなシワが寄ることがある。このシワが本来はそこになかった影を作り出し、何らかの構造物が存在するように見せてしまう。あるいは細胞の様子をよりくっきり浮かび上がらせるため、科学者は細胞を化学物質で染色する。このとき、化学物質はしばしばダマになって一か所にかたまったり、淀《よど》んだりすることがある。するとこの場合もやはりそこに何か特別なものが存在しているように見えてしまう。このような人工物は、実験上の「アーティファクト」と呼ばれる。パラーディは、細胞の中に時に認められるもの——ゴルジ体——はアーティファクトの一種ではないか、と考えたのだ。後になって彼は、この考えをあらため、ゴルジ体の実在性と重要性を立証したのだが、それはまたずっと後の話である。

ゴルジ体を語るとき、その名の由来であるゴルジ氏について語らなければ物語は始まらない。

カミッロ・ゴルジは一八四三年七月七日、イタリア北部のコルテノに生まれた。日本でいえば江戸時代が終わりかけの頃である。彼は医学を志し、その勉強の課程で基礎生物学に興味を持った。当時の生物学研究はとにもかくにも、顕微鏡でミクロな細胞の様子を詳細に調べることが主流だった。それ以外に方法がなかったのである。

顕微鏡は肉眼では見えない微小世界を探索するすばらしい道具だった。一七世紀、オランダのアントニ・ファン・レーウェンフックがそのパイオニアとして、単眼レンズの手作り顕微鏡で水中の微生物、血球、精子などを次々に発見した。その後、凸レンズを組み合わせて倍率を上げる複式顕微鏡の改良が進み、ゴルジの時代、一九世紀にはかなりの進歩がもたらされていた。虫メガネで細かい字を拡大して見るときと同様、顕微鏡でも、フォーカスが合ってくっきり観察するためには、レンズと対象物の距離がぴたりと合う必要がある。顕微鏡では倍率が高いぶん、これがさらに微妙な問題となる。ちょっとでも前後に外れるとピントがずれ、ぼけてしまう。そして倍率を上げれば上げるほど視野が狭くなり、暗くなる。だから調べようとする対象物は、光を通し、焦点が合うように、できるだけ薄く、フラットでなければならない。でこぼこだったり、曲がっていたり、厚みが途中で変化していると焦点距離がずれて見えなくなってしまう。そうならないためには、料理技法のかつらむきをさらに極めたような、ミリ以下のそぎ切り技術が必要となる。

しかも生物試料は、大根やキュウリみたいにパリパリしていることはむしろ珍しく、やわらかいけれど、弾力があったり、逆にもろかったりする。細胞は豆腐のようにプニョプニョしている。それをそぎ切りにするなんてことは、土台無理。そこでやわらかいものを硬く固める方法が考案された。これは簡単に言うと蠟《ろう》に封じ込めてしまうという技法である。固めてから鉋《かんな》がけするように薄くそぐ。ゴルジの時代にはすでにここまでの技術はできていた。この先にもうひとつ大きな課題があった。

生物の組織や細胞はほとんどの場合、透明すぎるほど透明なのである。薄くそいで顕微鏡で覗《のぞ》いても、そこにはうっすらラップのようなものが広がっているだけで、詳しい実態はつかめない。ゴルジはさまざまな薬剤を試して、なんとか細胞の輪郭線を浮かび上がらせようとした。あるとき、硝酸銀と重クロム酸で細胞を処理すると、網目状の構造が黒々と染め出されることが判明した。これは銀塩写真の現像と原理的に似ていて、クロム酸銀の粒子が細胞の膜に沿って沈着することによって生じる。この方法はゴルジ染色と呼ばれるようになる。ゴルジはこの方法を駆使して細胞を詳細に観察し、その内部に浮かぶ不定形の膜構造を見つけた。これがゴルジ体だった。しかし、その後、何十年にもわたってゴルジ体の存在は不確かなものであり続け、一時は、アーティファクトであるとさえ考えられたのだった。

ゴルジとカハール

ゴルジ染色が大きく役立ったのは人間の組織研究の中で、特に脳の解析だった。それまで脳はたくさんの脳細胞から成り立っていることまではわかっていたが、それがどれくらい、どんなふうに絡まり合っているのかは、脳があまりにもぷよぷよしていて、脳細胞はごく細く透明だったため、誰も十分に究明できないでいたのだった。

ゴルジ染色によって、脳が実は、神経細胞による網目状のネットワーク回路を構築しているということがわかった。この回路を電気が流れることによって、脳が機能するのだ。これはゴルジによるネットワーク説と呼ばれるようになった。

しかし、大御所ゴルジのこの説に、異議を唱える若手研究者が現れた。サンチャゴ・ラモン・イ・カハールという一八五二年生まれの無名のスペイン人研究者だった。スペインの田舎で育ったカハールは、幼い頃から絵を描くのを好み、芸術家を夢見ていた。しかし町医者だった父は、息子にもっと現実的な道を歩ませたいと考えた。あるとき父は一計を案じた。解剖の様子を息子に見せたのである。筋肉の配置。血管の走行や枝分かれ。神経の分布。カハールは、そこに息をのむような自然の造形美を見つけた。彼は地元の名門サラゴサ大学の医学部に学び、解剖学を志した。

カハールは、当時すでに名をなしていたイタリアのゴルジの業績を知った。脳の神経を鮮やかに可視化するゴルジ染色。彼はこの方法を身につけ、改良し、顕微鏡で脳を調べ、克明な観察を行った。

そのうちカハールは先駆者ゴルジの主張に疑問を持つようになる。ゴルジは、ゴルジ染色によって脳の神経を染め出し、それが互いにつながり合って網目状のネットワークを構築していると考えた。この精妙な神経回路こそが脳の基本構造である。この回路を電気が流れることによって私たちは瞬時にものを考えたり、運動を起こしたりすることができる。それがゴルジの説だった。

しかし、とカハールは考えた。ネットワーク説はすべてを説明しているように見えるが、その実、何も説明していない。もし電気回路の電線がすべてつながっていたら、電気はいったいどんなふうに流れればいいだろう。どんなふうにでも流れ得て、たちまちショートしてしまう。脳の内部を秩序だてて電気が流れるためには、もっと精妙な仕組みが必要だ。

カハールは、ゴルジ染色によって丹念に神経の配置を調べ、次のように結論した。神経は一本一本、ひとつの細胞として独立している。神経細胞は、細長い紐《ひも》状だったり、たくさんの突起が飛び出したりして、互いに連結しているように見えるが、実は、完全に融合して一体化しているわけではない。くっつきそうなほど接してはいるが、わずかな隙間がある。この隙間によって電気はいったん止められる。

カハール・記憶・イシグロ

一九〇六年、ノーベル賞委員会は、神経組織の解剖学的研究に寄与したことに対して、ゴルジとカハールにノーベル医学・生理学賞を同時に授与した。この分野の立役者ゴルジにとってノーベル賞の受賞はもちろんある意味で当然ではあったが、あとからこの分野に

カミッロ・ゴルジ（左）とサンチャゴ・ラモン・イ・カハール（右）　写真：アフロ

入ってきた——ゴルジからみると文字どおりの新参者だった——カハールとの同時受賞がとても不満だったようだ。ゴルジはノーベル賞の受賞講演でもなお自説——神経回路が網状につながっていること——を強硬に主張し、カハールの寄与については一言も触れなかった。カハールはその後も、ゴルジのこの頑《かたく》なな態度に苦しめられた。カハールはこんなふうに述懐している。

「自然界の謎と闘うのではなく、他人と闘うことのなんたるむなしさよ」

絵心に優れ、文章家でもあったカハールはたくさんの著作を残している。論文に描かれた彼の手による神経回路の顕微鏡スケッチも驚くほど細密で、美しい。顕微鏡だけでなく、望遠鏡にも凝って、夜空の星を眺めるのが好きだったという。

カハール説、つまり、脳の構造の基本単位としてのニューロン（神経細胞）とニューロン間の隙間（シナプス）は、今日、揺るぎない真実として確立されている。ニューロンを電気がすばやく流れ、シナプスのところで、止めたり、流したり、強めたり、弱めたりすることによって電気信号が調節される。これがほんとうの脳の構造であり、シナプスの機能は脳研究の焦点である。

記憶の実体もニューロンとシナプスに支えられている。ニューロン同士がシナプスによって連結され、その回路に電気が通ることによって、私たちは何かを考え、何らかの行為をなす。考えや行為を繰り返せば、この回路に電気が通る回数が増え、シナプスが増強され、より電気が通りやすくなる。こうして特定のニューロンとシナプスの回路が脳の中で強化されることが、すなわち記憶が強化されることである。

私たちの身体《からだ》を構成する分子や原子は絶え間のない合成と分解の最中《さなか》にある。「動的平衡」である。それゆえ、もし記憶が脳の中で作られた物質――たとえばタンパク質――によって蓄積されているとするなら、その物質もまた、絶え間のない動的平衡に晒《さら》されるわけで、たちまち消え失せ、記憶を保存することなどかなわない。だから記憶は物質のレベルで保存されるのではなく、もっと上位のレベルで保存されているはずだ。

その答えがまさに、記憶はニューロンとシナプスの回路によって保存されている、というものだった。ニューロンもシナプスもたくさんのタンパク質から構成されている。そのタンパク質はどれも動的平衡の中にあって合成と分解を繰り返し、絶え間なく更新されているが、ニューロンとシナプスの回路の全体像さえ保存されていれば――それを構成している個々の要素が入れ替わったとしても――記憶は保存されることになる。

とはいえ、最近の研究によれば、記憶自体も実は更新されていることが明らかになってきている。

私たちが何かを考えたり体験したりすると、脳の海馬《かいば》と呼ばれる部位で、まずニューロンとシナプスが回路を作る。それが記憶の原型となる。そして、ここからが重要なのだが、海馬で作られた記憶の回路は、大脳皮質に書き写され、ここで新しいニューロンとシナプスの回路が形成される。そして海馬のほうの回路はクリアされる。これは大まかに言えば、短期的な記憶と長期的な記憶に対応している。大脳皮質に保持された記憶の回路は、しかしずっと一定に保存されているわけではない。思い出すたびにいったんシナプスが不安定化され、再度、固定化されることが明らかになったのだ。

「記憶は死に対する部分的な勝利である」とは、イギリスの小説家カズオ・イシグロの名言である。記憶だけが、流転し、消滅し続ける世界に私をつなぎ止め、私が私であることを証《あか》してくれるものであると。

しかしその記憶ですら、思い出すたびに揺らぎ、変容しているのである。記憶が美化され、目撃証言が変遷するのも当然と言えば当然なのだ。

カズオ・イシグロがいみじくも、勝利は「部分的」でしかない、と言ったことの重さがあらためて思い知らされるのである。

記憶は遺伝するか

米国のエモリー大学のブライアン・ディアスとケリー・レスラーの研究チームは次のような実験を行い、二〇一三年一二月一日に論文を発表した。

実験用のマウスに対して、まずアセトフェノンの匂いをかがせる。アセトフェノンはサクラの花びらの香り。マウスにとっては普通の飼育環境では体験することのない新しい匂いである。その直後（ちょっとかわいそうなのだが）、飼育箱の床に電流を流して、びりっと電気ショックがやってくる仕掛けになっている。これを何度か繰り返し行う。するとマウスは、サクラの香りがすると痛い目に遭う、ということを憶《おぼ》えて、身をすくめるようになる。これを「条件づけ」と呼ぶ。あるいは「条件反射」という言葉のほうがより一般的かもしれない。

鈴の音がすると食事がもらえるように条件づけすると、鈴の音がするだけでよだれを垂らすようになる、というパブロフの犬の実験で有名な、条件反射である。条件反射は私たち人間にだって起こる。梅干しを見ると、見ただけで唾《つば》がわいてくる。それは、梅干しはとても酸っぱいものだという条件づけによる。

さて、マウスの実験である。このときマウスの脳の中ではどのようなことが起きていると考えられるだろうか。本来、アセトフェノンのサクラを思わせるいい香りと、電気ショックとのあいだには何の関係もない。しかし、条件づけによって、この二つに関係があることをマウスは学習させられた。つまり、記憶が作られたわけである。記憶の正体は、脳内のニューロン（神経細胞）とシナプス（神経と神経をつなぐ情報連結装置）からなる回路であることを先に述べた。だから、マウスの脳内には新しい神経回路が形成されたと考えられる。すなわち、アセトフェノンの匂いを感知する匂いレセプターの信号を受け取る嗅覚《きゅうかく》の神経細胞と、それを感知するとまもなくやってくる電気ショックの痛みや電流を感知する神経細胞、そのことに対して身構えるための運動神経、このような一連の刺激——応答の神経回路網が、条件づけされたマウスの脳内に作り出された、と考えられる。

ここまでは特に何の目新しさもない話である。これだけでは論文を発表できる新しさはどこにもない。ディアスとレスラーの実験が世界中の注目を集めた理由はここから先にある。彼らは、条件づけされたマウスの次の世代と、その次の世代の行動を調べてみたのである。すると意外なことが判明した。

条件づけをしたマウスの子孫たちに対して、同じようにアセトフェノンをかがせたあと、電気ショックがくるという「学習」をさせてみると、より敏感に条件づけされるようになったのである。すなわち、ずっと低い濃度のアセトフェノンに対しても、これにおびえるようになった。

彼らは注意深く、いくつかの可能性を排除する確認を行っている。まず条件づけされた親は、条件づけを行った時点ではまだ妊娠をしていなかった。つまり母胎にいるときに経験したことではない。それから特別に鼻がよく利くようになったわけでもない。他の匂いを使った実験を行い、比べてみると、アセトフェノンに対してだけ鋭敏におびえることがわかった。さらに彼らは、条件づけした父親マウスの精子を採取し、その精子を使って人工授精を行い、人工授精によってできた次世代でも実験を繰り返した。するとやはり、アセトフェノンに対する恐怖は、より鋭敏になっていたのだ。つまり母体からの影響、あるいは母親の卵細胞由来の何かに要因があるわけではない。父親からは精子のＤＮＡしか伝達されない。

これはいったい、何を意味しているのだろうか。

極めて端的に言えば、記憶が遺伝している、という驚くべきことが示されたのである。しかし、条件づけによって形成された神経回路、つまり、鼻の嗅覚レセプターによる匂いの検出→脳がそれをサクラの香りと識別→恐怖体験との照合→電気ショックを予期して身構える体勢をとる、という回路そのものが遺伝したわけではない。学習や経験によって形成された記憶は、その一世代かぎりのものであり、次の世代には遺伝しない。世代を超えて遺伝したと考えられるのは、このような条件づけがより容易に形成されるための「下地」である。

親の世代で体験したことは、サクラの香りが、危機の予知のための重要な手がかりになる、ということだった。だから、子孫は、サクラの香りに対してより鋭敏に反応することができれば、より有利に危険を回避し、生き残るチャンスが増えることになる。サクラの香りに対してより敏感になるためにはどんな準備が必要だろうか。サクラの香りを感知する嗅覚レセプターの数を増やす。あるいはここから脳に伸びる嗅覚神経細胞の数を増やす。そのあいだにあるシナプスの連結を強化する。そのような「下地」を用意しておけばよい。

研究者たちは、実際にDNAを調べてみた。この実験の巧みなところは、サクラの香りを条件に選んだことだった。嗅覚レセプターはマウスの場合、約一千種類もあり（諸説あり）、どの匂いにどのレセプターが関与しているか、ほとんどわかっていない。しかし、サクラの香り（正確にはアセトフェノンという化学物質）に対する嗅覚レセプターはきちんと特定されていたのである。

親マウスから子マウス、孫マウスへと伝達される精子のDNAの嗅覚レセプター遺伝子を解析した結果、レセプター遺伝子のDNA配列（遺伝暗号）自体には変化はなかった。つまり突然変異はなかった。しかしエピジェネティックな差異が見られたのである。DNA自体ではなく、DNAの働き方を調節する情報が隠れたかたちでDNAに書き込まれていることがわかってきた。それがエピジェネティクスである。

今、DNAを音楽の楽譜のようなものだとしよう。一音一音の音符の音程と長さがDNAの遺伝情報である。音符が書き換えられること、つまり突然変異が起こると、音程と響く長さが狂って、曲が大きく変わってしまう。しかし、音程と長さを変えないまま、曲に変化をつけるやり方がある。五線譜の欄外に、速く、大きく、元気よく、生き生きと、などというように、曲想や演奏のやり方を指定する注意書きを書き込むのだ。逆に、静かに、ゆっくり、だんだん弱く、などといった指定もできる。これとまったく同じような注意書きにあたるものが、DNAにも多々存在することがわかってきたのだ。そのひとつが、メチル化（メチレーション）という小さな化学的修飾がDNAに施されること。DNAにメチル化がたくさん入っていると、一般的に遺伝子の活性が抑制される。メチル化が抜けていると遺伝子が活性化されやすくなる。メチル化の多寡《たか》はその生物がどのような環境で生きたか、どんな体験を経たかで変化すると考えられる。

実際、サクラの香りで恐怖体験を条件づけされたマウスの生殖細胞の嗅覚レセプター遺伝子では、メチル化が少なくなっており、より活性化されやすくなるような変化が起こっていたのだ。生物は環境とのやり取りを通じて、よりよく生き抜くための適応的な形質を獲得する。これが次の世代にまったく生かされないのはあまりにももったいない。生物は、次の世代の自由度を拘束しない範囲で、しかし獲得形質を有効利用できるように、エピジェネティクスのレベルで情報を伝達する仕組みを編み出していたのだ。獲得形質の遺伝に、新しい光が当たることになった。

第6章
遺伝子をつかまえて

オートファジーは、動的平衡を支える仕組み

二〇一六年のノーベル医学・生理学賞は、日本人研究者・大隅良典《おおすみよしのり》氏のオートファジー研究に対する貢献に対して授与された。

ここ数年来、次々と日本人がノーベル賞に輝くことが続いた（忘れっぽい人のために列記すると、一二年は、iPS細胞の開発で、山中伸弥氏に医学・生理学賞、一四年は、青色ダイオードの発明により、赤﨑《あかさき》勇《いさむ》氏、天野《あまの》浩《ひろし》氏、中村修二《しゅうじ》氏に物理学賞、一五年は、寄生虫病薬の開発で、大村智《さとし》氏に医学・生理学賞、ニュートリノ研究で、梶田《かじた》隆章《たかあき》氏に物理学賞）ので、今回も大きなニュースになった。日本人がノーベル賞をとると、テレビは大きく取りあげ、新聞は号外が出て、お祭り騒ぎになる（片や、専門家しか知らない外国人が受賞すると、その研究がどれほど価値があるものであっても、一気に熱が冷め、記事もごく小さいものにしかならない。一六年の物理学賞、化学賞がそうだった）。「日本人受賞を逃す」というヘッドラインを流した局もあったほどだ。これではまるでオリンピックのメダル競争と同じである（私自身も新聞社の依頼で緊急座談会などに参加して、お祭り騒ぎの片棒を担いだので、これは自戒を込めて言っている）。

そしてお祭り騒ぎの内容はといえば、研究自体はごく大雑把にしか説明されず、むしろ受賞者の人となりや家族の支え、昔の同級生の証言といった人情話ばかりになる。結局、大隅先生は実はお酒が大好き、みたいな印象しか残らない。

そこで、ここではオートファジー研究の意義についてあらためて考えたい。生命科学研究の本質は、「薬の開発や病気の治療に役立つ」といった実用的な成果ではなく、「生命とは何か」という根源的な問いに対する答えの一端が明らかにされるということである。一言でいえば「生命は、作ることよりも、壊すことを一生懸命行っている」ということになる。

そのために少し過去を振り返っておこう。

二〇〇四年のノーベル化学賞は、A・チカノーバー、A・ハーシュコ、I・ローズの三人の研究者に与えられた。ユビキチンシステムと呼ばれる細胞内タンパク質分解の仕組みを解明したことが評価された。ノーベル賞講演の冒頭、チカノーバーは、おもむろにルドルフ・シェーンハイマーについて話しはじめた。私は密《ひそ》かに快哉《かいさい》を叫んだ。私にとって、シェーンハイマーはヒーローだが、若くして謎の自殺を遂げ、科学史的には半ば忘れ去られた存在だったからである。シェーンハイマーは、ナチス・ドイツから亡命、一九三〇年代から一九四〇年代にかけて米国ニューヨークのコロンビア大学で研究を行った。

シェーンハイマーは、アイソトープ（同位体）を使って生体物質の動きを可視化し、私たち生物が食べものを摂取することの意味を問い直した。一般に、生物にとって食べものとは、自動車にとってのガソリンと同じ。つまりエネルギー源だと考えられていた（今もそう捉えている人は多い）。

しかし実はそうではない。確かに食物（主に炭水化物）はエネルギー源として燃やされる部分もあるが、タンパク質は違う。私たちが毎日、タンパク質を食物として摂取しなければならないのは、自分自身の身体《からだ》を日々、作り直すためである。シェーンハイマーはこの事実を鮮やかな実験で初めて示した。

たとえば私たちの消化管の細胞はたった二、三日で作り替えられている。一年も経《た》つと、昨年、私を形作っていた物質はほとんどが入れ替えられ、現在の私は物質的には別人となっているのだ。つまり、生命は絶え間のない分子と原子の流れの中に、危ういバランスとしてある。私が自らの生命論のキーワードとしている「動的平衡」である。それまで静的なものとして捉えられてきた生命観に、シェーンハイマーは、新しいパラダイム・シフトをもたらしたのだ。動的平衡の流れを作り出すためには、作る以上に壊すことが必要である。それゆえ細胞は一心不乱に物質を分解している。チカノーバーたちは、シェーンハイマーの遺志を継いで、壊すことの重要性を明らかにしたのだった。

生命にとって重要なのは、作ることよりも、壊すことである。細胞はどんな環境でも、いかなる状況でも、壊すことをやめない。むしろ進んで、エネルギーを使って、積極的に、先回りして、細胞内の構造物をどんどん壊している。なぜか。生命の動的平衡を維持するためである。

秩序あるものは必ず、秩序が乱れる方向に動く。宇宙の大原則、「エントロピー増大の法則」である。この世界において、もっとも秩序あるものは生命体だ。生命体にもエントロピー増大の法則が容赦なく襲いかかり、常に、酸化、変性、老廃物が発生する。これを絶え間なく排除しなければ、新しい秩序を作り出すことができない。そのために絶えず、自らを分解しつつ、同時に再構築するという危ういバランスと流れが必要なのだ。これが生きていること、つまり動的平衡である。

このパラダイム・シフトに新しい潮流が加わった。細胞にはさらに巧妙で大規模な分解システムが備わっていた。それが大隅良典氏のオートファジー研究である。

オートファジーとは自食作用のこと。細胞内にはミトコンドリアや輸送小胞などの構造体がある。細胞は特殊な膜によってこれらの構造物を取り囲み、隔離してしまう。隔離したあと、この区画に酵素を送り込んで（この酵素が貯蔵されている小器官をリソソームという）、あっという間に構造体を分解してしまうのである。分解産物はリサイクルされたり、排泄《はいせつ》されたりする。つまりエントロピーが捨てられている。大隅チームは酵母という微生物をモデルに使って、オートファジーのメカニズムを詳細に明らかにしたのだ。ユビキチンに続いてオートファジー研究がノーベル賞に輝いたのは、シェーンハイマーから連綿と続く生命科学の系譜から見ると、当然の帰結といえる。

mRNAからcDNAを作る

DNAはデオキシリボ核酸、RNAはリボ核酸で、どちらも非常に似通った化学構造なのだが、ほんのひとつ、デオキシ構造（水酸基［-OH］がない）の差異だけで、物質としての安定性が格段に違ってくる。DNAは化学的に安定的で、RNAは化学的に不安定な（分解を受けやすい）物質なのだ。

実はこれにはわけがある。DNAは情報担体として安定的である必要があるが、RNAは情報の運び屋なので、細胞にとってむしろ不安定なほうが都合がよいのである。不安定なものは壊しやすい。細胞は環境の変化にすばやく適応するため、個々のタンパク質は必要なときには増産し、不要なときには減産する、という臨機応変態勢にある。

それはタンパク質自体の合成速度、分解速度によって調整することが可能だが、その前段階のメッセンジャーRNA（mRNA）レベルでも調整することができる。むしろ分解しやすいmRNAの量を調節するほうがすばやく変化に対応できる場合がある。こんな理由から、mRNAは壊れやすいリボ核酸で構成されているのだ。

デオキシのオキシとは、水酸基（-OH）のことで、デとはそれが外れていることを表す。つまりデオキシリボ核酸（DNA）とは、リボ核酸（RNA）に存在する水酸基がない核酸という意味だ。水酸基があるとその酸素原子が周囲の電子を引きつける。電子の不均衡は物質の不安定さを増大させる。つまり水酸基があるとその物質は分解や化学反応を受けやすくなる。RNAが不安定で、DNAが安定とはそういうことなのだ。

しかし、実験技術上、タンパク質のアミノ酸情報をmRNAから得ようとすると、壊れやすさというのは致命的な問題となる。せっかく釣り針によって釣り上げられたとしても、その魚（RNA）がすぐに死んで崩れ去ってしまうのであれば、獲物を分析しようにもお手上げである。そしてもうひとつ厄介なのは、mRNAが二重らせん構造ではなく、一本鎖であることだ。DNAのように二本鎖が対《つい》になっていれば、互いに他の鏡像となっているがゆえに、そこから情報を複製することは比較的容易だが、不安定な一本鎖mRNAはたとえ捕まえたとしても、人工的に情報を増幅させることが極めて難しい。

そこで生み出された方法が、mRNAからcDNAを作る、という画期的な技術だった。細胞内の情報は、DNA→mRNA→タンパク質と、一方向に流れる。これはセントラルドグマと呼ばれる生命現象の大原則で、長らくその逆方向の情報伝達はありえないと考えられてきた。ところがレトロウイルスという特別なウイルスは、この大原則を破ってRNAからDNAを作り出す方法を身につけていた。

レトロウイルスは逆転写酵素という特殊な酵素を作り出し、RNA情報を鋳型《いがた》にして相補的なＤＮＡを合成していたのだ。逆転写酵素の発見は、セントラルドグマのパラダイムを書き換える画期的な発見だった。

逆転写酵素の存在を見出《みいだ》したハワード・テミンとデビッド・バルティモアはノーベル賞を受賞している。

この逆転写酵素を利用してｍＲＮＡからその鏡像となるＤＮＡを合成することができる。この結果できるのはＲＮＡとＤＮＡによるハイブリッド二重らせんである。ついでＲＮＡを分解する。ＲＮＡは上記のとおり不安定なので、熱やアルカリ、あるいはＲＮＡ分解酵素によって簡単に分解できる。一方、ＤＮＡは安定的なのでこのような操作を加えても壊れることはない。

こうしてもともとのｍＲＮＡ情報を写し取った一本鎖ＤＮＡが残ることになる。さらにこの一本鎖ＤＮＡを鋳型にして、ＤＮＡ合成酵素によって、相補的なＤＮＡを合成することができ、ＤＮＡはさらに安定した二重らせん構造をとることになる。この結果、出来上がったものは、ｍＲＮＡからセントラルドグマを逆行して作り出された、相補的（complementary）ＤＮＡと呼ばれる。これがｃＤＮＡなのだ。

〝細胞の図書館〟cDNAライブラリー

細胞から全部のmRNAを抽出し逆転写酵素を使ってDNAを作り、そこからcDNAを合成すると、もともと細胞内にあったすべての種類のmRNAは、まるごと安定したcDNAに写し取られることになる。また、mRNAの量的な分布も、そのままcDNAに反映されることになる。

つまり、mRNAの量が多い遺伝子（さかんに発現している遺伝子）とmRNAの量が少ない遺伝子（あまり発現していないレアな遺伝子）は、そのまたくさんのcDNAと少量のcDNAとなる。つまり、cDNAは、質としても量としても、細胞内にあるmRNAの鏡像となる。そして、不安定だったmRNAと異なり、安定した、しかもいくらでも増幅可能なDNAとしての形状をとることになる。

このようにして作り出されたcDNAのセットをcDNAライブラリーと呼ぶ。まさに〝細胞の図書館〟だからだ。脳細胞のmRNAから作り出されたcDNAライブラリーは、脳細胞で働いている遺伝子まるごとのセットである。膵臓《すいぞう》の細胞のmRNAから作り出されたcDNAライブラリーは、膵臓で働いている遺伝子まるごとのセットである。脳細胞cDNAライブラリーには、神経細胞特有の遺伝子情報が含まれている。他方、膵臓細胞cDNAライブラリーには、膵臓ランゲルハンス島で作られるインシュリン、あるいは腺房細胞で合成される消化酵素トリプシンの遺伝子が含まれる。それぞれ脳細胞と膵臓細胞固有の遺伝子であり、互いに排他的な遺伝子である。

その一方、どの細胞でも共通して働いている基本的な遺伝子というものがある。細胞分裂の維持・実行、エネルギー生産・代謝、分泌や細胞内の物質移動、細胞内骨格などといった基本的な遺伝子のことだ。これらの遺伝子はハウスキーピング遺伝子と呼ばれる。ハウスキーピング遺伝子はどの細胞でも一定量、常に働いている。つまり、それらの遺伝子にはいつもmRNAが存在している。これらハウスキーピング遺伝子のmRNAもまたcDNAライブラリーに写し取られる。ハウスキーピング遺伝子は、脳細胞でも、膵臓細胞でも働いているから、どちらのcDNAライブラリーにも含まれることになる。

つまり、それぞれの細胞のmRNAから作られたcDNAライブラリーは、細胞に共通のハウスキーピング遺伝子群プラス、それぞれ専門化された細胞に固有の、組織特異的な遺伝子群の集合体ということになる。

このように準備されたcDNAライブラリーは、大腸菌や特殊なウイルス（ラムダ・ファージ）に組み込むことができる。つまり大腸菌やラムダ・ファージはcDNAライブラリーの運び役となる。

コロニーを転写したフィルターを作る

ここまで、細胞で発現している遺伝子群、つまりmRNAをそのままDNAに写し取る方法、すなわちcDNAライブラリーを作る原理について細かいことをいろいろ説明してきた。ここから先は、いかにしてそのライブラリー（図書館）から、目的の書物を探し出すかについて考えてみよう。

細胞から作ったcDNAライブラリーと、大量の大腸菌を混ぜ合わせ、塩溶液の中で短い時間熱ショックを与える。すると個々のcDNAは、いずれかの大腸菌の中に取り込まれることになる。ちょうど図書館の蔵書を、一冊ずつ、ランダムに生徒に配るようなイメージを想像していただきたい（生徒を大腸菌にたとえてごめんね）。cDNAの分子数（総冊数）よりも、大腸菌の菌体数（生徒数）を多くしてあるので、図書館の本はいずれも誰かの手に渡る。本がもらえない生徒（ｃＤＮＡを受け取れなかった大腸菌）も存在する。でも、こうしておかないと図書館の蔵書を分散させることができない。ここが大事なポイント。ｃＤＮＡを一分子ずつばらけさせることが重要で、しかも生徒ひとりが二冊以上、本を持たないようにする。

円形のシャーレに寒天でできた栄養培地を作り、その表面にｃＤＮＡを受け取った大腸菌を薄く塗り広げる。ｃＤＮＡを受け取った大腸菌は、菌体内でせっせとｃＤＮＡのコピーを作る。同時に、大腸菌はおよそ二〇分に一回の割合で細胞分裂をして増殖する。その都度、ｃＤＮＡのコピーも受け渡され、増産される。大腸菌は自分では動くことができない。だからシャーレの上に複数、たとえば一〇〇匹の大腸菌がばら撒《ま》かれたとすると、その一〇〇匹はその場所で増殖していく。大腸菌一匹は体長一マイクロメートルくらいなので、もちろん肉眼では見えない（詳細は省略するが、ｃＤＮＡにちょっとした仕掛けがしてあって、ｃＤＮＡを受け取った大腸菌だけがシャーレの上で増殖できるようになっている）。

大腸菌はシャーレの上で、二倍、四倍、八倍、一六倍と分裂していく。すると一晩もすると膨大な菌体数になる。それは肉眼で見える。白い粒のように見える。その粒がシャーレの上に散らばっている。これを大腸菌のコロニーと呼ぶ。コロニーはまるで夜空に散らばる星々のようだ。実際、だんだん大腸菌が増えてきてコロニーが見え出すと、それは光って見える。実験がうまくいっている証拠だ。これは実験に携わった者でないと感じることができない気持ちなのだが、こうして書いていても、わくわくしてくる。

シャーレの上に広がるコロニー一粒一粒に、別々のcDNAが含まれていてしかも増産されている。一分子のcDNAではあまりに少なすぎても、こうして大腸菌の力を借りて、ばらしてしかも増やすことができるのだ。

このシャーレの上に、そっと白いナイロンフィルターを重ねる。それは直径一〇センチメートルほどの円形をしている。濾紙《ろし》のように見えるがナイロン製なので丈夫だ。しばらくしてからそっとこのフィルターを剝《は》がす。するとフィルターの上には大腸菌のコロニーが鏡像のように写し取られることになる。もちろんシャーレのほうにも大腸菌のコロニーはまだ残っている。あとでここから大腸菌を採取しなければならないので、シャーレは冷蔵庫の中に保管される。大腸菌は冷蔵されると細胞分裂を止めるが死ぬことはない。

私たちはコロニーが転写されたフィルターのほうを使って実験を進めることになる。この中から目的とする遺伝子のcDNAを保持したコロニー――つまり宝物のありか――を探し出すことになる。大腸菌はフィルターの上に貼りついたままその場所に固定される。大腸菌の菌体内にあったcDNAもフィルターの特別な場所（シャーレ上のコロニーがあった場所）に固定される。フィルターを水につけても温度を変えてももう剝がれ落ちることはない。

細胞内に存在するmRNAの量が少ない遺伝子、つまり細胞内での発現頻度が低い遺伝子（それは必ずしも重要な遺伝子でないという意味にはならない。わずかな量だけで効く遺伝子であるということ）の場合、それだけcDNAライブラリーに含まれる量も少ないということになる。つまり稀覯《きこう》本というわけだ。このような遺伝子を探し出すためには、それだけたくさんのコロニーを探索しなければならない。だからcDNAライブラリーを本ごとに分割し、それぞれ大腸菌に託し、それをシャーレに撒き、フィルターを作ることになる。つまりコロニーを写し取ったフィルターは何枚、何十枚になることもあるのだ。根気のいる宝探しが始まることになる。

ナイロンフィルターを漬け込む

それは一見、千枚漬けの作業工程に似ている。私は京都で学生生活を送ったので、その様子を見たことがあったのだ。京都名産の京野菜である聖護院《しょうごいん》かぶの皮をむき、薄くそぎ切りにする。直径一〇センチメートルあまり。それは円形のナイロンフィルターにそっくりだ。それを樽《たる》の中に一枚一枚ていねいに並べて敷き込んでいく。あいだには昆布、唐辛子、調味料などが漉《す》き込まれていく。

私たちが行おうとしている遺伝子クローニング（ライブラリーの中から特定のcDNAを取り出すこと）もある意味でこれにそっくりだ。集中力と根気とていねいさを必須とする作業。私たちの手にあるのは、薄いかぶの切片ではなく、円形の白いナイロンフィルターだ。ここまで説明してきたように、その表面には大腸菌のコロニーに由来するcDNAが貼り付いている。もちろん目には見えない。cDNAはナイロンフィルターの表面に固定され、かつ二重らせんがほどけて一本鎖状態になっている。それがもともと大腸菌のコロニーがシャーレの上で点々と散らばっていたとおりのかたちで、そのままナイロンに写し取られている。

さて私たちも、薄いかぶを何枚も漬け込んでいくように、ナイロンフィルターを漬け込む作業に入る。私たちの場合、漬け込みに使うのは伝統にのっとった樽ではなく、厚手のプラスチックでできた袋である。いわゆる〝ジップロック〟の袋のようなものだ。この中に二〇枚ほどのナイロンフィルターをなるべくバラけさせるようにそっと並べていく。シワや折れが起きないよう、ていねいに並べていく。そして袋の中を、pHと塩濃度を整えた液で満たす。この液は、DNAがもし相補的な相手方の配列を見つけたら、再結合を起こし、二重らせん構造の再生が起こりやすい条件に設定してあるのだ。液はできるだけ少量――すべてのフィルターを浸すには十分だが、過剰にならないよう――入れることになる。

話を少し前に戻させていただきたい。研究対象となるタンパク質（GP2）を膵臓細胞から精製し、純化した。それをアミノ酸配列分析にかけ、GP2固有のアミノ酸配列の一部を知った。そのアミノ酸配列に相当するDNA配列を推定し、それを化学合成した。アミノ酸ひとつに対してDNA暗号は三文字（三塩基）必要なので、一〇個のアミノ酸配列から推定されるＤＮＡ配列は三〇塩基からなることになる。特別のＤＮＡ配列を人工合成することは比較的簡単である。塩基は四種類しかないので、配列さえ判明していれば、塩基を順に結合させていけばよい。aagcaaggc……のように。今ではこれを自動的に行う合成機があるのだ。こうしてできた三〇塩基のＤＮＡの破片こそが、私たちにとって非常に重要な釣り針、もしくは道標《みちしるべ》になる。これをプローブと呼ぶ。探査針という意味だ。

合成してできたプローブを先ほどの〝千枚漬け〟の袋に入れて混ぜる。プローブは見えない。ただプローブが溶け込んだ少量の液をジップロックのような袋の中に注ぎ込むだけである。袋の中に空気の泡や異物が入っていないかよく注意しながら袋を整える。もちろん中の液がこぼれ出ないように気をつけないといけない。こうしてジップロックの中に、溶液に浸かったナイロンフィルターとプローブを閉じ込めると、袋の口を熱でシールして完全に閉じてしまう。さて、これで宝探しの準備は整った。

ラジオアイソトープのラベル

cＤＮＡライブラリーに由来するコロニーが固定された〝千枚漬け〟（円形のナイロン

フィルター）を入れたジップロックの袋、宝物を探査するためのプローブ（短い一本鎖ＤＮＡ）を混ぜ、袋の口をシールして密封した。

恒温器でぬるま湯（三七度）を作り、そのお風呂にジップロックを浸す。恒温器にはシェイク機能がついており、ジップロックをゆっくり左右に揺らしてくれる。ジップロックの内部のミクロの世界ではこんなことが起こっている。ナイロンフィルターは、ミクロな目で見るとレースのカーテンか網戸みたいなもので、スカスカの繊維から成り立っている。その要所要所に、大腸菌由来のｃＤＮＡが貼り付いている。こちらのｃＤＮＡは繊維に半永久的に固定されてしまっているので、その場から動くことはできない。

一方、あとから投入したプローブは繊維にくっつくことなく、網目のあいだを自由に泳ぎ回ることになる（自由にといっても意志の力ではなく、物理的な意味で拡散・浮遊しているということ）。そして、もしプローブが幸運にもある場所にたどり着くと、不思議なことが起こることになる。

ある場所とは、大腸菌がたまたまＧＰ２のｃＤＮＡを菌体内に取り込み、それを増殖させ、そのコロニーが、フィルター上に写し取られた、そんな場所のことである。ＧＰ２

のｃＤＮＡは今や一本鎖ＤＮＡとなってフィルター上に貼り付いている。位置が固定されてしまっているので自分自身ではもとの二重らせんを形成することはできない。でもプローブは、ＧＰ２遺伝子の一部の情報を写し取ったものである。ＧＰ２のｃＤＮＡのどこかの部分に、プローブと相補的な遺伝子配列があるはずであり、プローブが、aagcaggcであれば、ｃＤＮＡのほうは、ttcgttccg（ａ－ｔ、ｇ－ｃが相補的な関係）という部分配列を持ち、両者はそこで結合を起こし、部分的な二重らせん構造を作り出すことになる。いったん二重らせん構造が形成されると、それは安定した化学結合状態となり、ちょっとやそっとで壊れることはない。

そこで私たちは、ジップロックの千枚漬けを一昼夜、場合によってはもっと長く数日間、プローブと一緒に保温して祈ることになる。わずかなプローブでもいいので、ナイロンフィルターの星々の中から、運よく自分のパートナーとなる相補的配列を見つけ出して、そこで二重らせん結合を再生してほしいと。

その後、私たちは、ジップロックを開けて溶液を捨てる。もはや余分のプローブも必要ないので（むしろ残存しているとノイズを発生するので）、それぞれのフィルターをよく洗う。

泳いでいる遊離のプローブは洗い流されてしまうが、うまく相補的配列を見つけてフィルター上で二重らせん構造を再生したプローブは強い力で結合しているので、フィルターからはずれることはない。

おもむろに、そんなふうに結合したプローブがないかどうか探し出すことになる。ここまでのプロセスはすべて水溶液中のミクロな分子の化学反応として進行しているので、もちろん目では見えない。DNAもプローブも、顕微鏡を使っても見ることはできない。そこにあるのはただただ千枚漬けのかぶのような白くて丸いナイロンフィルターである。でも、ナイロンフィルターのどの場所に、プローブが結合しているか、それを可視化する方法があるのだ。

それがラジオアイソトープ（放射性同位元素）技術である。ラジオアイソトープとは微弱な放射線を発し続ける能力を持つ元素のこと。天然にわずかながら存在し、人工的に作り出すこともできる。これは生物科学の研究を進めるうえで欠くことのできない画期的な手法となっている。

私たちがこの実験で用いたのは、リン（P）のアイソトープだった。リンは原子番号15

番、血液の中にも、細胞の中にも、食品の中にも、そしてもちろんDNAの一部としても、生命現象に広く関わっている元素である。普通のリンの質量数（元素の重さ＝中性子と陽子の数）は三一なのだが、質量数三二のリンが存在するのである。これによってプローブがどこにたどり着いたのか可視化することができるのだ。

探査針はGPS

さて、いよいよ遺伝子の隠れ家を突き止めるときがきた。千枚漬けの話を思い出していただけるだろうか。直径一〇センチメートルほどの白いナイロン製の薄い円盤のことを千枚漬けにたとえた。私たちはこの円盤のことを通常、フィルター、もしくはメンブレンと呼んでいる。

これまでのプロセスをもう一度整理しておくと、次のようになる。

1・特定の細胞（私たちの実験の場合は、膵臓で機能しているGP2の遺伝子を調べたかったので、膵臓の外分泌細胞）からm（メッセンジャー）RNAを取り出し、逆転写酵素とDNA合成酵素を使って、c（コンプリメンタリー＝相補的）DNAを合成する。cDNAは、その細胞で発現しているすべての遺伝子（mRNA）の鏡像となる。これをcDNAライブラリーと呼ぶ。mRNAと異なり、cDNAは安定で、二重らせん構造をとっているので、複製・増幅できる。

2・膵臓のcDNAライブラリーをベクター（cDNAを細胞の中に運搬してくれる核外遺伝子）に組み込む。それを大過剰の大腸菌と混ぜ合わせ、大腸菌体内に取り込ませる。ベクターは一分子一分子ごとに分散し、それぞれ大腸菌の内部に入る。ベクターを取り込んだ大腸菌だけが生き延びるようにした寒天培地の上に、大腸菌液を塗布し、広げる。大腸菌は、寒天培地の上では自走できないので、その場にとどまり増殖を開始する。

3・丸いシャーレの中に作ってある寒天培地の大腸菌は、体長一マイクロメートルしかないので肉眼では見えない。しかし、大腸菌が細胞分裂し、菌体数が増えてくると、小さな光る点々となって見えるようになる。これをコロニーと呼ぶ。温度、栄養、酸素の条件がよいと、大腸菌はおよそ二〇分に一回、細胞分裂する。それゆえ、寒天培地に大腸菌を塗布し、恒温器の中に一晩入れておいて、次の日の朝、シャーレを光にかざすと、コロニーがまるでプラネタリウムの小さな星々のように無数に見える。やった！　ライブラリーはちゃんと大腸菌によって運ばれている。

4・丸いシャーレと同じ直径のナイロンフィルターを用意し、そっとシャーレの寒天培地の表面に重ねる。大腸菌のコロニーはナイロンフィルターに写し取られる。ナイロンフィルターを注意深くシャーレから剝がす。コロニーの一部はナイロンフィルター面に貼り付き、残りはシャーレの表面にとどまる。ナイロンフィルターとシャーレは互いに互いの鏡像となる。シャーレは後日の実験のため、冷温下で保管される（大腸菌は増殖を止めるが、死滅はしない）。

5・ナイロンフィルターにいったん貼り付いた大腸菌タンパク質、および大腸菌が運ぶcDNAは、ナイロンフィルター表面に固着して二度ととれなくなる。このままナイロンフィルターを高温にさらすか、アルカリ条件下に置くと、ｃＤＮＡは、ナイロンフィルターに貼り付いたまま、その二重らせん構造がほどけて、二本の一本鎖ＤＮＡとなる。オープン状態になった一本鎖ＤＮＡは、その塩基配列と相補的な塩基配列を有するＤＮＡと結合できる。これがプローブ（探査針＝６を参照）を使った遺伝子捜査に利用される。

６・私たちは、膵臓のタンパク質分子ＧＰ２の遺伝子を探し出すことを目標としてきた。そのためまず、膵臓からＧＰ２を精製・純化して、タンパク質のアミノ酸配列を部分的に決定した。ＧＰ２遺伝子は、ＧＰ２タンパク質のアミノ酸配列の情報をコード（暗号）化している。アミノ酸配列から、遺伝子（塩基）配列が推定された。推定された塩基配列をもとに、人工的な合成ＤＮＡが作製された。アミノ酸一つにつき、塩基は三つ必要なので、アミノ酸一〇個の配列は、塩基数三〇個のＤＮＡとなる。塩基をつなげるほうが、アミノ酸をつなげることよりも化学的には簡単にできる。これが遺伝子捜査の探査針（プローブ）となる。プローブは、ＧＰ２のｃＤＮＡと相補的な配列を有しているから、

ｃＤＮＡのうちいずれかの一本鎖ＤＮＡと結びつくことができる。

7・合成されたＤＮＡの端に、ラジオアイソトープ（放射性同位元素）のリン（Ｐ）を付加する。これはラジオアイソトープを含んだＡＴＰ（リン酸供与体）と特殊な酵素を使うことによって行われる。これによってプローブがたどり着く場所を特定することが可能となる。

8・密封できるプラスチックバッグにナイロンフィルターを入れ、溶液で満たす。その中にプローブを入れる。プローブは溶液中を拡散し、ナイロンフィルターのあいだをくぐり抜ける（プローブ一分子にとって、ナイロンフィルターはすかすかの網目であり、自由に行き来できる。網目の各所に、大腸菌由来のｃＤＮＡが固定されている）。

9・プローブが、自分の塩基配列と相補的なｃＤＮＡ構造を見つけると、その場所に結合することになる。プローブはいわばＧＰＳ端末で、そこから発せられる電波がラジオアイソトープの放射線。そのエネルギーの発生源を追跡することによって、プローブがたどり着いたナイロンフィルターの場所を特定することができる。

GP2遺伝子を取り出す

直径一〇センチメートルほどの円形のナイロンフィルターが何枚も目の前に並んでいる。一見、ただの白い薄切りの円盤。まさに千枚漬けだ。肉眼では見えないが、ここにはミクロなレベルで、重要な現象が積み重なっている。まずナイロンフィルターの表面には点々と、cDNAライブラリーのcDNAが固定化されている。cDNAライブラリーとは、細胞で活動している遺伝子情報、つまりmRNAを、人工的な二本鎖DNAに写し取ったもの。私たちの研究の場合、膵臓細胞のcDNAライブラリーが使われている。

私たちは、膵臓で働いているタンパク質GP2の遺伝子情報を釣り上げようとしていた。そのため、まず膵臓細胞をすりつぶし、その抽出液から、GP2タンパク質を苦労して精製した。貴重なサンプルを使って、GP2の部分的アミノ酸配列を読み取った。アミノ酸配列情報をもとに、遺伝子配列を推定、その遺伝子配列を持つ短い一本鎖合成DNAを用意した。これをプローブと呼ぶ。プローブの端にラジオアイソトープのリンを取り付け、目印とした。これがGPSの役割を果たす。ナイロンフィルターを溶液に浸け、そこにプローブを混ぜた。ナイロンフィルターはミクロな眼《め》で見ると、すかすかの網目構造。プローブはそのあいだを拡散しながら泳ぎ抜け、自分と相補的な配列を持つcDNAを求めてただよう。運よく、パートナーを見つけ出したプローブは、その場で二重らせん構造を作り出す。cDNAはナイロンフィルターに固定化しているので、プローブもその場にとどまる。

私たちは、まさに千枚漬けを冷水にさらすように、ナイロンフィルターを洗う。余分なプローブを除去するためだ。余分なプローブがうろついていると、そこからニセのGPS信号が出て、ノイズとなる。私たちが欲しいのは真のシグナル、つまり、目的とするcDNAにしっかりと結びついたプローブが発するラジオアイソトープの信号である。

その信号はどのように検出すればよいか。原始的ながら確実な方法がある。写真現像の原理を使うのである。ナイロンフィルターを乾かし、大きな厚紙の上に貼り付ける。それを暗室に持っていって、その上にぴたりとX線フィルムを重ね合わせる。光が入らないように特殊なサンドイッチ構造の箱に入れ、数日間待つ。もし、ナイロンフィルター上のある場所からプローブの放射線シグナルが発せられていれば、それはX線フィルム上の銀粒子を焼いて黒化させる。X線フィルムを現像し、未反応の銀粒子を洗い流すと、あとには小さな黒い点が残る。その点こそが、cDNAのありかを示すのだ。私たちは目を皿のようにして、X線フィルムを光にかざし、黒い点を探す。あった！　X線フィルムを、ナイロンフィルターと照合し、何番目のフィルターのどの場所から信号が出ているか、特定する。

フィルターの番号と黒点の位置が判明すると、次は冷蔵庫に保管してあったシャーレを探し出す。ナイロンフィルターに大腸菌のコロニーを写し取った、その元になったシャーレである。そこには大腸菌のコロニーが点在している。X線フィルムに黒い点をもたらした、その場所に位置するコロニー。これこそが求めるべきものだ。このコロニーの大腸菌が、GP2遺伝子のcDNAを保持しているのである。

私たちは注意深く、針の先でコロニーをつついて、大腸菌を回収する。新しい培養液の中で大腸菌はどんどん増殖する。それに伴ってcDNAも複製される。あとはcDNA

を精製し、遺伝子配列を解読すればよい。タンパク質と違って、cDNAのよいところは、実験でどんなに消費しても、元の大腸菌さえ保管しておけば、いくらでも増産することができる点だ。私たちは安心して実験を進めることができる。

こうして世界で初めて、私たちは、GP2遺伝子の全構造を明らかにすることができたのだった。

科学的発見は一等賞にしか……

科学的発見は、一等賞にしか表彰台が用意されていない。つまり第一発見者だけがその功績を認められ、発明であれば、一番初めにそれを成し得た人物のみが勝利者としての栄誉を得る。栄誉だけでなく、賞金や特許権などの金銭的報奨も独り占めする。二番手、三番手に表彰台はない。

しかしながら、科学的発見や発明は、しばしば時代的な機運や潮流の上に初めて花が開く。マネやパクリでなく、独自にそれぞれ同じことを考え、同じゴールに向かって邁進《まいしん》し、同じ結論に至ることがある。

このような場合、いったいどうやって真の一番手を判定できるのか。一〇〇メートル競走や競馬と違って同じトラックで一斉にレースが行われるわけではない。科学においては、誰が一番初めに発見や発明を「公表」したか、ということによる。

何か重要な発見が公表されたとき、あとから「いや、俺のほうが先に思いついていたんだ」というケースが必ず現れる。そのような事後的なクレームを排除するにはたった一言、「では、なぜ先に公表していなかったのか?」という反論で事足りる。

「公表」は、正式には学術論文がしかるべき専門誌上に掲載されることによる。学会での口頭発表、あるいは記者会見のような方法による公表が認められることもある。近年では、インターネット上に公開されることによる「公表」もありうる。

天才数学者グリゴリー・ペレルマンによるポアンカレ予想の証明の論文は、ある日突然、インターネット上に掲載された。通常の学術専門誌の場合、審査員が論文刊行の可否を検分するのだが、ペレルマンの場合、自分で勝手にアップロードしただけだったので、当初、誰もその真価を判定することができなかった。

特に数学の場合、ごくわずかの専門家しか証明が正しいかどうか、わからない。一年近くにわたる専門家の検証を経て、ようやくペレルマンの証明が正しいことがわかった。ペレルマンはその後、数学界のノーベル賞であるフィールズ賞、賞金一億円のクレイ数学賞を受賞することになったが、隠遁《いんとん》生活のまま、いずれの授賞式にも現れず、受諾の意思も表明しなかった。

科学的発見を「公表」することは、その知見を社会全体の共有財産とする、という意義がある。これには実は長い歴史がある。一七世紀後半、オランダのアマチュア科学者アントニ・ファン・レーウェンフックは自作の顕微鏡を使って、水中の微生物や精子の存在を発見した。ところがそのすぐあとになって、「精子を発見したのは自分が先」と主張する人物が同じオランダに出現した。ニコラス・ハルトソーケルというプロの科学者だった。彼は「精子が人間の種になっていることを証明した」とまで主張し、実際、精子の頭部に小人《ホムンクルス》が体育座りをしている様子をスケッチした顕微鏡観察図を公表した。

レーウェンフックは、もともと論争や紛争に巻き込まれたり、批判を受けるのが嫌だったので、自分の研究を公表することに逡巡《しゅんじゅん》していた。しかし、それを強く勧めた人物がいた。イギリスの王立協会のヘンリー・オルデンバーグである。王立協会は一七世紀に設立された科学者の団体で、世界最初の学会、もしくは科学アカデミーと呼ぶべき組織だった。王立協会は、専門官を各地に派遣して、新しい発見を行った人材を発掘し、その知見を公表・共有することを振興した。

オルデンバーグはまさにそのような外交官的役割を担ってたびたびヨーロッパを旅し、アムステルダムを訪問したとき、レーウェンフックの噂を聞きつけ、はるばる小都市デルフトに赴いて、レーウェンフックに自分の研究を公表することを強く勧めた。最初は逡巡していたレーウェンフックだったが、後に自分の研究成果を次々と王立協会に送り出した。オタクは自分の発見を自分だけの秘密にしておきたい一方、それを皆に自慢したい気持ちも同時に抱いているものだ。オルデンバーグは、レーウェンフックのそんな性格を見抜いていたのである。

レーウェンフックの顕微鏡は驚くべき精度と倍率を有しており、その観察も、ハルトソーケルの妄想に比べ、ずっと正確だった。現在、レーウェンフックが顕微鏡の始祖として、微生物や精子の発見者として科学史に名を残しているのは、王立協会に発表の記録が日付とともに残っているからに他ならない。

私たちのＧＰ２研究も、小なりとはいえ同じような研究競争の最中《さなか》にあったのだが、当時、私たちはそのことに気づいていなかった。

第7章

「がんと生きる」を考える

あるジャーナリストの闘病

本棚から古い本を探し出す。『ニューヨークでがんと生きる』（千葉敦子《あつこ》著、文春文庫）。一ページ目。物語はこう始まる。

「次のステップを踏み出さなければならないことは分かっていた。次のステップが何であるかも分かっていた。それでも、思い切って踏み出すのには、かなりの勇気を要した」

フリーランスのジャーナリスト千葉敦子は、乳がん再発のおそれを抱えたまま、愛猫とともにニューヨークに渡る。この街に住む。これが彼女の長年の夢だった。当時彼女は四〇歳と少し。がんに侵された今、躊躇《ちゅうちょ》する時間の余裕はそれほど残されていない。「次のステップ」とはその夢を実行に移すということだった。

西麻布にあったアパートの荷物を整理し、引き払う。ニューヨーク行きの飛行機を手配する。しかしニューヨークで何が一番たいへんかと言えば、安全で安価な住まいを探し出すこと。千葉さんはとりあえずニューヨークに行くことを優先し、知人宅に間借りをして、アパート探しを開始する。ジャーナリストとしての仕事の態勢も整えなければならない。慌ただしい毎日が始まる。

幸い、間もなく友人のつてでグリニッジビレッジによいアパートを借りることができた。しかし家賃は東京の二倍（ジャーナリストらしく金額もきちんと明示してある。ニューヨークの家賃が高額なのは今もまったく変わらない――というよりむしろどんどん高騰している。そしてだいたいの相場が東京の二倍、というのも同じである）。ニューヨークではすべてがチャレンジとなる。家主と闘い、引っ越し業者と闘い、警察と闘う（引っ越しの梱包《こんぽう》材を引っ越し業者が街路に放置してしまい、違法投棄だと通報され、警察から罰金を言い渡される。納得いかない彼女は裁判所に不服を申し立て、結局、罰金の取り消しを勝ち取る）。たくましい。

彼女は、意欲的に外出し、取材し、書く。MoMAなど美術館をめぐり、大好きなバレエを鑑賞しにリンカーンセンターへ行く。つまりニューヨーク生活を満喫する。その日々がリズムのよい文章で克明に綴《つづ》られる。一方、がんは実際、再発した。正確には再々発である。彼女は三年前、乳がんの手術を受けた。そのあと乳房を再建した。すっかり回復したかと思われた二年後、リンパ節への転移が見つかった。放射線治療を東京で受け、しこりは小さくなった。それがニューヨークへ来てから九か月ほどが経過した夏のこと、左胸の上に異常を見つけた。検査では医師から大丈夫と言われていたにもかかわらずである。しかし自分の身体《からだ》に関して自分以上に心配りをしてくれる者は他に誰もいない。

「私はしこりの感触が、過去二回のときとそっくりなので、再々発であると確信していた」

バイオプシー（生体組織診断）の結果、やはりがんであったことが判明する。彼女は、制度や言葉の壁があるにもかかわらず、ニューヨークで治療を受けることを決意する。放射線治療と化学療法。激しい副作用に苛《さいな》まれながらも、彼女は決して弱音をはかない。冷静に自らの病状を観察し、日米の医療現場の差を記録する。アメリカの医療費は驚くほど高額だ。しかし医療の質も高い。ありとあらゆる情報を与え、患者に自分のことを自分で決めさせようとする。そして医師や医療スタッフは常に患者と対等に接する。医師と患者の立場が非対称的な日本とは大きく異なる。独身の彼女には家族はいないが、ニューヨークの友人、知人たちが次々と手を貸してくれる。

これが書かれたのは一九八〇年代半ばのこと。思えばもう四〇年近くも前である。今なぜ再び、彼女の本を読み返す気持ちになったのか。それはかつて刊行された直後に読み、今また私自身がニューヨークで生活するようになったので読み返してみたくなったのだ。筆致はまったく古びていない。むしろ彼女の真摯《しんし》さがより迫力を持って迫ってくる。そして地名や街の様子、位置関係などもよくわかる。

彼女が選んだ病院は、メモリアル・スローン・ケタリングがん研究所病院。これは私の留学先であるロックフェラー大学の向かい側、アッパーイーストサイドに位置している。世界最高のがん治療・がん研究の拠点である。ロックフェラー大学とも研究交流、共同研究がさかんに行われている。

がんの転移と免疫

千葉敦子は、乳がんを患い、その後、繰り返し起こった転移・再発と闘い続け、彼女が終（つい）の生活の場として選んだ街・ニューヨークで、親しい友人たちに看取（みと）られながら旅立った。享年四七という若さだった。

彼女が選んだのは最初は外科手術による切除、乳房の再建、リンパやもう片方の胸への転移が発見されたあとは（転移は自分で発見した。どんな名医であっても、自分以上に自分の身体に関心を払ってくれる者はいない、というのが彼女の持論だ）、放射線照射による治療と抗がん剤による化学療法だった。間欠的に襲ってくる副作用（だるさ、吐き気、脱力感、悪寒……）に苛まれながら、ジャーナリストとして取材し、書くことを続けた。

彼女は、もっと早期に抗がん剤治療を始めていれば、再発を防げたかもしれないと思ったが、始めることができない理由（主に経済的な理由――米国では一回の注射に、当時ですら一〇万円がかかった――と、副作用によって仕事ができなくなることを避けたかった）があったのだからくよくよしないことにした、と書いている。このあたりのきっぱりした合理的な割り切り方が彼女の持ち味である。

しかし、今日的な視点から見ると、たとえ早くから化学療法を始めていたとしても、再発を防ぐことはおそらくできなかっただろう。なぜなら転移性の悪性のがんは、そもそも原発巣（彼女の場合は乳がん）のしこりが発見された時点で十分に増殖しており、そこから無数のがん細胞が全身に転移してしまっていたはずだからである。

このようなケース、つまり、すでに多数の転移が起こってしまったあと、外科的に切除することは不可能で、広範囲に固形がんの転移が広がってしまった状況で、抗がん剤でも治る見込みがない場合、もはや闘うのは諦めるべきなのだろうか。

私が考える生命観のキーワードは「動的平衡」である。生命は絶え間のないバランスの上にある。押せば押し返し、欠落があればそれを補い、損傷があれば修復する。生命を生命たらしめるこのダイナミズムを動的平衡と呼びたい。

以前、以下のような事例を放射線科医から聞いた。

がんが発見された。しかし、すでに肺全体に多数の転移が起こってしまったあとだった。治療チームは、病巣のひとつを超音波を使ってピンポイントで焼いた。転移しているので、もちろんがんをひとつだけ殺しても根治療法にはならない。

しかしこの処置のあと、まもなく、すべての転移巣は消失もしくは大幅に縮小し、患者は生還を遂げた。いったい、何が起こったのだろうか。

がん細胞が顕在化するまでには、体内におけるいくつもの〝検問突破〟がある。その最たる〝検問官〟は私たちの身体に備わっている免疫細胞だ。本来なら、がんの予備軍は早いうちに免疫細胞に見つけられて排除される。

一方、がん細胞のほうも驚くべき狡猾《こうかつ》さを身につけている。サイトカインと呼ばれるある種の信号物質を放出し、免疫細胞の一部を騙《だま》して味方につけ、自らの周囲を守る防御壁として利用、がんを退治する別の免疫細胞の接近を封じているのだ。

上記のケースは次のように解釈された。一か所のがん病巣を超音波で焼くことによって、この防御壁を壊すことができた。つまり、がん細胞からサイトカインが出なくなった。こうして、防御壁を乗り越えて、〝検問官〟たる免疫細胞が焼け跡に到達した。そこで免疫細胞は初めてがんの存在を認識した。一度認識が成立すると免疫細胞の動きは急激に高まる。たちまち免疫細胞は増産され、あらゆる転移巣に対して総攻撃を開始した。

これはちょうど予防接種をしてあらかじめインフルエンザウイルスの到来を免疫細胞に知らせておくと、実際に大量のウイルスが襲来してきたときに総力戦を開始することができることに似ている。

この事例は非常に特殊なケースかもしれない。しかし、もし二一世紀、がん治療に何らかの革新があるとすれば、それは敵と直接対決するのではなく、むしろあらかじめ身体に備わっている味方の力を応援し、増強することにこそ活路があるのではないか、という示唆がある。それはとりもなおさず動的平衡から生命を捉え直すということでもある。私はここに希望を感じる。

発がんとストレスの奇妙な関係

私たちの身体に備わっている免疫システムは、身体の中に発生した異常な細胞（その典型例はがん細胞である）を初期のうちに発見し、除去してくれる。

私たちの身体は約三七兆個の細胞からなっており、そのほとんどの細胞が常に更新されている。つまり古くなった細胞が死に、あるいは積極的に壊され、新たにできた細胞に入れ替わる。新たに細胞が作られるためには元になる細胞（これを幹細胞と呼ぶ）が細胞分裂を行う必要がある。細胞分裂を行う際には必ずＤＮＡの複製が行われ、遺伝子情報が継承される。ＤＮＡの複製が行われるとき、不可避的に複製のミスが生じる。ＤＮＡの遺伝子情報は三〇億文字からなっていて、これが極めて正確にコピーされるのだが、ときに写し間違いが起こるのだ。それは私たちがキーボードを叩《たた》くときに起こす打ち間違いよりもずっと低い確率でしか起こらないし、たとえ間違いが起こっても原本と照合して間違いを直す修復システムが備わっている。それでも間違いが見逃されてしまうことがある。その間違いがこれまた、たまたま細胞の増殖や成長に関わる遺伝子であった場合、細胞が暴走を起こし、協調性を失ってどんどん増殖することがありうる。それががん細胞である。

約三七兆個もの細胞が常に細胞分裂を繰り返していれば、一つ一つのミスは低い確率でしか起こらなくとも、長い時間が経過すれば必ずミスは起こり、そのミスが致命的な場所で起こる可能性も増える。また、DNA上の突然変異は、複製のプロセスで不可避的に起こるエラーだけでなく、外部から取り込んだ化学物質（DNAのらせん構造のあいだにハマり込んで複製を邪魔するような物質）や放射線（DNAに当たると、DNAを形づくる化学物質を変化させ、遺伝情報を書き換えてしまう可能性がある）を受けたときも起こりうる。これらはすべて時間の関数である。長く生きれば生きるほど、細胞分裂の回数は増える。その分ミスが起こる可能性がある。また、環境から変異原性物質や放射線を受けるリスクも増える。

ヒトの年齢を横軸にとり、縦軸にがんの発生率をとると、年齢とともにがんの発生率が急上昇していく右肩上がりのカーブとなる。これは時間こそが発がんの最大の援軍であることを意味している。

時間の関数として不可避的に上昇する発がんのリスク。これに対して私たちはどうすることもできないのだろうか。そんなことはない。異常増殖するがん細胞は、ふつうの細胞と挙動が異なり、細胞の表面に生えているタンパク質にもがん特有の特徴があるので、先にも述べたとおり、ふつうであれば免疫細胞に見つかって食べられてしまう。免疫細胞は全身をくまなく循環し、あらゆる場所で発がんの芽を摘んでくれている。

がん細胞はもし初期のうちであれば――それがまだ人間が感知できないような小さな細胞集団のレベルであれば――免疫細胞によって除去されうる。が、しかし、もしこの免疫システムがうまく働かないような状況が出現したらどうだろうか。免疫系の警戒網をかいくぐってがん細胞の増殖が進み、いろいろな場所に転移し、それぞれがかなり大きな細胞の集塊となってしまうと、もはや手遅れとなる。

そして、免疫システムの最大の敵は、ストレスなのである。生命体は身体的、あるいは精神的なストレスを受けると、ストレスホルモンと呼ばれる物質（ステロイドおよびその類縁体）のレベルが上昇し、ストレスに耐えるよう身体が防御反応を起こす。戦闘態勢に入るか、あるいは逃走するか。いずれにしてもストレスから逃れようと反応する。うまくストレスをやり過ごすことができれば、ストレスホルモンのレベルは下がり、身体はもとに戻る。

ストレスホルモンは免疫システムを抑制するように作用する。免疫システムを一時的に抑制することによって、免疫システムが使っていたエネルギーや栄養素を、ストレスと闘うための他の緊急システム（心拍数を上げて血圧を高めたり、筋肉運動を促進したり、交感神経系の働きをアップさせたりする）に振り向けるためである。

ストレス応答は本来、一過性の防御反応であるにもかかわらず、現代人は、恒常的なストレス下に置かれることがしばしばある。これが免疫システムを常に傷めつけてしまう危険性がある。免疫システムの抑制は発がんに手を貸す。かくしてストレスと発がんが結びつくことになる。

免疫力でがんに挑む

一九世紀末、米国の医師ウィリアム・コーリーは、がんの患者が、細菌に感染し高熱に苦しんだあと、しばらくするとがんが縮小していることに気づいた。がんと細菌は、本来は無関係のはずである。コーリーは、がん患者に細菌を意図的に感染させることによってがんの治療を目指す実験を始めた。彼は多くの患者に対して延命効果があったと主張した。

現在の視点から解釈すると、細菌の感染によって活性化された免疫系が、がんに対しても有益に作用したものと考えうる。がんと免疫系に関する初期の観察結果とされるが、当時はまだ免疫システムについて十分な理解が進んでいなかったことと、コーリーの治療法に必ずしも再現性がなかったことなどにより次第に忘れ去られ、二〇世紀になるとがんに対する治療は外科手術や放射線照射が主流を占めていくようになった。

しかし近年になって、身体に本来備わっている仕組み、すなわち外敵から身を守るシステムとしての免疫力を賦活《ふかつ》化してがんに挑む方法が、再び見直されるようになってきた。しかも新しい方法は、細菌毒素のような方法で全般的な免疫活性を高めるのではなく、もっとがんを特異的なターゲットにして免疫系の標的にできないか、という方向に研究が進んでいる。

がんは内なる敵である。身体の内部で勝手に増殖し、転移し、正常な細胞や組織を侵していくという点においては、細菌やウイルスと同じ「敵」である。が、がんは外からやってきたエイリアンではなく、もともと自分自身の細胞が異常化してできたものである。ここにがん治療の難しさがある。

完全な外来者であれば、免疫システムは、簡単にそれを認識し、さまざまな方法で攻撃を行うことができる。マクロファージという免疫細胞は、異物を認識し、それを食べてしまうし、B細胞は、異物と結合して無力化してしまう抗体というミサイルを発射することができる。これはそもそも免疫細胞が、自分自身を構成する自己の細胞と、それ以外の外来者を認識できるからだ。外来の細菌やウイルス、あるいは同じ人間の細胞であっても他人の細胞であれば、その表面に存在するタンパク質に自分の細胞とは微妙な差異がある。これを免疫細胞は検出して攻撃を仕掛けるわけだ。外来者の目印となるタンパク質を外来抗原と呼ぶ。

一方、がん細胞は、肝臓がんならもともとは自分の肝臓の細胞、白血病ならもともとは自分の白血球が、あるとき変調してがん化し、統制を乱して異常な増殖を開始するものである。だからがん細胞は自分自身の細胞とほとんどそっくり同じものだと言ってよい。それゆえに、免疫システムとはいえ、自分自身の正常な肝臓細胞とがん化した肝臓細胞を見分けるのはなかなか容易なことではない。

それでもがん化すると細胞内外のタンパク質の分布に微妙な変化が生じ、正常細胞とは異なるタンパク質が現れることがある。このようなタンパク質ががん細胞の目印となり、免疫細胞が目印を持った細胞を見つけ出して攻撃してくれると、がんの治療につながる。一方、がん細胞のほうも巧妙・狡猾で、できるだけ正常細胞と見分けがつかないように目印タンパク質を隠す傾向がある。ここにがん細胞と免疫系のせめぎ合いが生まれる。今「巧妙・狡猾」といった擬人的な言葉をあえて用いたが、もちろんがん細胞自体に意思や思考があるわけではない。でも見かけ上、がん細胞はそのように見えるふるまい方をする。

つまりこれは、あまたあるがん細胞のうち、たまたま目印タンパク質を隠すことができたものが生き残り、がんとして増殖を続けることができる、という現象の裏返しである。

がん細胞を攻撃することのできる免疫細胞としてもっとも有望なのが、キラーT細胞と呼ばれるものだ。異物の目印タンパク質を認識すると、それに対して細胞膜に穴を空けたり、細胞を破壊する酵素を放出したりして、ターゲットとなるがん細胞を死に至らしめることができる。さすがのがん細胞も細胞膜に大きな穴が空くとひとたまりもない。そこでがんの免疫療法として、いかにしてキラーT細胞を活性化し、がん細胞に特異的な攻撃を仕掛けるのを応援することができるかが研究の焦点となった。

腹痛と白血球

大昔のことである。当時、私は貧乏な研究者の卵。その夜も遅くまで下宿の狭い部屋でひとり、論文を読んでいた。夜もふけていたと思う。突然、右の脇腹がキリキリと痛み出した。肋骨の下、腰骨の上あたり。少し待てばおさまるかと思って我慢していたが、逆に痛みがどんどん増してきた。何か尖《とが》ったものを刺し込んだかのような鋭い痛み。こんな腹痛はこれまで経験したことがない。勉強机に向かって座っていることができなくなり、身体をくの字に折り曲げるようにして畳の上に倒れ込んだ。今日食べたものを必死に思い出してみたが、ふつうに食堂で定食を食べただけである。ご飯、味噌汁《みそしる》、唐揚げ。生ものや傷みやすいものは何も食べていない。とにかく痛みだけは激しいが、吐き気や下痢《げり》はない。吐血も熱もない。いったいこれは何なのか。腸捻転？　盲腸炎？　寄生虫？　思いは千々に乱れるも痛みは一向にひかない。たらたら冷や汗が出てきた。これはちょっとまずいのではないか。

携帯電話もメールもない時代のこと。固定電話も引いていない。学生はみな公衆電話で用事をすませていた。救急車を呼ぼうかと思ったが、公衆電話まで歩くなら、その先少し行ったところにちょっとした病院があったはずだ。直接行くほうが早い。とるものもとりあえず、身体を引きずってその病院になんとかたどり着いた。古ぼけた受付で、ベルを鳴らすと奥から看護師さんが出てきた。「お腹が急に痛くなって……」「あ、そうですか、とりあえず宿直の先生を呼んできます」。先生はなかなか出てきてくれない。しばらくしてようやく眠そうな先生が出てきた。

ちょっと頼りなげな先生だったが、指で何度も私のお腹を押してていねいに反応を調べてくれた。それから採血をして奥に持って行った。しばらくしてから先生は現れて言った。「開腹手術かとも思ったけど、どうも炎症じゃなさそうですな。白血球が上がってない」

ちょっと前振りが長くなった。私が書きたかったのはこの白血球のことである。私たちの血液中には、酸素を運ぶ赤血球がたくさん流れている。が、その他に、赤血球よりも数は少ないが、異なるタイプの細胞が流れている。それが白血球。赤血球はその名のとおり真っ赤で、中央がへこんだアンパンみたいなかたちをしている。一方、白血球は、表面に無数のヒゲ状の突起が生えた球形をしている。顕微鏡で覗《のぞ》くと、赤血球がアンパンなら、白血球は和菓子みたいに見える。血液一マイクロリットルあたり、赤血球は、成人男性なら平均およそ四二〇万〜五五〇万個、女性なら三八〇万〜四八〇万個もある。この数は比較的安定していて、もし健康診断でこの範囲を下回っているようなら貧血の可能性がある。一方、白血球は血液一マイクロリットルあたり、五〇〇〇個ほどしかない。しかしこの値は個人差が大きく、また、同じ人間でも状況に応じて変動する。特に大きく変動するのは、外部環境から侵入者があったときだ。白血球数は急上昇し、一万とかそれ以上になる。白血球は外敵と戦うための防衛隊なのである。

それゆえに、もし私の腹痛が、外来微生物による感染症やそれに伴う炎症（いわゆる盲腸炎＝虫垂炎も異物が滞留し、そこに細菌の感染が起こって炎症が生じた状態）、あるいは寄生虫による攻撃などであった場合、白血球数が急上昇しているはずである。医師はまずそれを確かめたわけだ。

さて一般的に白血球といった場合、それは広義の、生体防御に関わる免疫細胞の総称を意味する。

なお、先に書いた私の腹痛だが、不思議なことに医師に診てもらってからしばらくするとすーっと和らいで、翌朝にはケロリと治ってしまった。

いったい何が起こったのか今でも判然としない。ただし虫垂炎や腹膜炎など、消化管の感染症状でなかったことは確かである。開腹手術などされなくてほんとうによかった。

あとで知ったことだが、腹部を指で押してから急に離したとき、痛みが強くなる場合、これを反跳痛と呼ぶ。また、腹部の筋肉が緊張して硬くなっている状態を筋性防御と呼ぶ。これらは腹膜刺激症状と呼ばれ、腹膜炎の典型的な症状だそうだ。ていねいにこれらを試しながら、私を診察してくれた医師の判断は、まことに的確だったのだ。

細胞の分化と初期化

われわれ多細胞生物の細胞は――それはヒトの場合、総計約三七兆個になると推定されるが――もともと精子と卵子が合体してできたたったひとつの受精卵細胞に由来する。受精卵細胞が分裂を繰り返し、二、四、八、一六、三二、六四、一二八、二五六、五一二、一〇二四と増えていく過程で、徐々に変化を遂げていく。ある細胞は皮膚の細胞に、別の細胞は血管の細胞に、あるいは脳、心臓、肺、肝臓、腎臓、脾臓《ひぞう》、消化管などを構成する細胞に専門化していく。このプロセスを細胞の「分化」と呼ぶ。

細胞分裂のたびにもともと受精卵が持っていたDNAが複製され、受け渡されていく。だから同じ受精卵に由来するすべての細胞は同じDNAを持っているはずである。ところが分化があまりにも劇的で多様性に満ちているため――実際、細長い繊維状の神経細胞と球形の血液細胞ではまるで異なる細胞に見える――分化のプロセスでDNAそのものも変化し、その結果として細胞も変化するのではないか。そう考えられていた時代もあった。

しかしこの推定はある鮮やかな実験によって否定された。今から約六〇年前、イギリスのジョン・ガードンは、オタマジャクシの腸の細胞からDNAを含む細胞核を取り出し、それをこれから分化しようとする受精卵細胞の核とすげ替え、それでもちゃんとオタマジャクシになることを証明した。つまり、すでに分化を遂げた細胞のDNAは、質的に変化しているわけではなく、もとと同じ情報を保持している。

となれば、すなわちDNAに変化がないのであれば、いかにして細胞は分化を遂げることができるのか。これが新たな問いかけとなった。肝臓の細胞は、肝臓で使われる代謝酵素や解毒酵素をたくさん生産する。心臓の細胞は、心筋を構成するミオシンを大量に保持している。肝臓の細胞のDNAにもミオシンの情報は書かれているがミオシンを作ることはない。一方、心臓の細胞のDNAはアルコール分解酵素の情報を持っているがそれを作ることはない。

すべての細胞が基本的に同じDNAを持っているにもかかわらず、その中から読み出す情報が異なっているわけだ。

それはこのようにたとえられる。同じカタログを保有しているのだが、その中から注文する商品が違う。よく注文する商品のページには付箋が貼られる。この付箋の貼り方が、細胞の分化によって異なるパターンをとる。

実際にDNAの解析がより詳細に進むようになってから、興味深い事実が明らかになってきた。DNAの情報は、DNAを構成する四種類のヌクレオチドという単位物質の配列に記録されている。ヌクレオチドの配列は、肝臓の細胞と心臓の細胞とで一致している。つまり同じDNA情報を保持している。しかし、ヌクレオチドをさらに詳しく解析してみると、各所に小さな化学物質によって細かい目印がつけられていることがわかってきた。それは専門用語でDNAのメチル化と呼ばれている。このメチル化が付箋にあたるものだった。メチル化の有無によってDNA情報の読み出し方が変化する。つまり遺伝子のスイッチのオン・オフが変化する。細胞分化のプロセスにおいて、各細胞ごとに、DNAのメチル化のパターンが異なるものになっていく。メチル化の差異が、DNA情報読み出しの差異となり、遺伝子のオン・オフをそれぞれの細胞で異なるものにする。これが細胞に個性を与え、専門化を進めていくことになる。

さらに興味深いことが判明した。DNAに付加された付箋、すなわちメチル化は、取り外すことも可能だということだ。細胞の中にはＤＮＡをメチル化する酵素と、それを取り外す、ＤＮＡ脱メチル化酵素が存在している。分化を遂げた細胞のＤＮＡは、その専門性に応じて特有のメチル化がなされている。しかし、そのＤＮＡを、ガードンが行ったように、もともとの受精卵の環境におけば、ＤＮＡ脱メチル化酵素の働きによって、メチル化が取り外され、まっさらの状態に戻る、つまり初期化がなされる。そうするとこのＤＮＡは再出発することができる。

同じようなことを人工的に行う方法を編み出したのが、ｉＰＳ細胞だった。分化した細胞に対し、脱メチル化を促す遺伝子を強制的に活性化することによって、細胞を初期化する画期的な方法。

しかし、ｉＰＳ細胞が出現するよりもずっと以前から、私たちは、細胞の初期化について知っていた。いったんは分化を果たし、専門化した細胞として一心に仕事に邁進《まいしん》していたはずなのに、あるときそのことを忘れ、未分化状態の細胞――無個性で、ただ増えることだけを行う細胞――に逆戻りしてしまう細胞を知っていた。がん細胞である。

がん治療の画期的な展望

がん細胞は、いうなれば、社会の一員として職業に就き、自分の専門の仕事に邁進していた大人が、あるとき何の拍子か、急にすべてを放り投げて、青春期に戻って当てのない自分探しを始めてしまったようなものだ。細胞の場合、質《たち》が悪いことに、青春期に戻るということは、分化状態の前段階に戻るということであり、それはより旺盛な細胞分裂能力を取り戻すということである。だから自分探しをすると同時に、細胞分裂を繰り返し、自分のクローンをどんどん増やしてしまう。

このような細胞が身体の各所に散らばり、無制限に増え、他の細胞（ちゃんと仕事をしている正常細胞）の酸素や栄養をうばい、圧迫するようになる。そして最後には身体自体を死に至らしめてしまう。これが、がんの正体だ。

前述したとおり、がんの治療がむずかしいのは、がんが外からやってきたエイリアン的悪者ではなく、自分自身の細胞が変質して無法者になったものだからである。つまり内なる敵であるからだ。

細菌やウイルスのようなエイリアンであれば、それを叩く特別な薬物で攻撃すればよい。細菌ならその増殖を阻害する抗生物質（抗生物質はヒトの細胞にはほとんど作用しない）、ウイルスならタミフルのような特異的な薬がある。

また、身体自体が持っている防御機構である免疫システムが、エイリアンを見つけ出し、食作用（リンパ細胞が異物を飲み込んで消化してしまう）や抗体（異物にくっついてその作用を無力化してしまう）によって排除してくれる。

ところががん細胞の場合、もともと自己の一部だから、免疫システムにとってとても見分けがつきにくい。がん細胞に作用すべく開発された抗がん剤も、多くの場合、正常な細胞をも同時に傷つけてしまう。

結局、もっとも効果的な治療法は、外科的に切除するか、放射線で焼くことになる。しかし、転移して散らばってしまっていたらこれらを完全に取り除くことはできない。

それゆえ、もし究極のがん治療があるとすれば、それは内なる敵としてのがん細胞と正面から戦うことではない。むしろ、がん細胞に「君は、もともとちゃんとした大人の細胞だったはずだろ。正気を取り戻したまえ」と諭すことである。それによって、がん細胞がはっと我に返り、自らを取り戻すことができるなら、それがもっとも有効ながん治療法となるはずだ。

しかしそんなことはこれまで誰にもできなかった。どうやって言葉をかけてよいかも、がん細胞が聞く耳を持つかもわからなかったからである。

千葉敦子ががん治療を行った病院として本章の冒頭でも登場した、ニューヨークにあるメモリアル・スローン・ケタリングがん研究所は、世界最高のがん研究拠点のひとつ。私の母校であるロックフェラー大学の向かい側に、巨大な研究タワーと病院がそびえ立っていて、古めかしい石積みのロックフェラー大学とは好対照の外観だ。このメモリアル・スローン・ケタリングがん研究所から近年、画期的な研究論文が、著名な研究専門誌『セル』に発表された。研究チームは、マウスを用いた動物実験で、大腸がんになった細胞に正気を取り戻させる方法を編み出したのだ。

専門的に言えば、ＡＰＣ遺伝子を活性化して、Ｗｎｔシグナルという命令系統を正常化することを試みた。すると数日以内にがん細胞は成長を止め、数週間ほどすると大腸の病巣は正常な細胞を生産し始めた。もちろんこの成果はまだ基礎研究段階であり、すぐにヒトの治療に応用することはできない。より多面的な検証が必要だが、がん研究に新しい展望が開かれたことは間違いない。

第8章

動的平衡芸術論

プロフェッショナルの定義

こんな調査がある。スポーツ、芸術、技能、どのような分野でもよい。圧倒的な力量を誇示するプロフェッショナルというものが存在する世界がある。そんじょそこらのアマチュアなどまったくよせつけないプロフェッショナルたち。そのような人たちがいかにして形成されたのか。それを調査したものである。

世界的コンクールで優勝するピアニスト、囲碁や将棋の名人たち、トップアスリート。彼ら彼女らについて、ふつう私たちは半ばため息をつきつつ、次のように感じている。あのような人たちは天賦《てんぷ》の才能の持ち主なのだ。われわれ凡人とはそもそもの出来がまったく異なるのだと。

ところが、天賦の才能の有無以前に、プロフェッショナルたちの多くは皆、ある特殊な時間を共有しているのである。一万時間。いずれの世界でも彼ら彼女らは、幼少時を起点として少なくとも一万時間、例外なくそのことだけに集中し、専心したゆまぬ努力をしているのだ。一万時間といえば、一日に三時間の練習をしたり、レッスンを受けるとして、一年に一〇〇〇時間、それを一〇年にわたって休まず継続するということである。そのうえで初めてプロフェッショナルが成り立つ。

ＤＮＡの中には、ピアニストの遺伝子も将棋の遺伝子も存在してはいない。ＤＮＡには、人を生かすための仕組みが書かれてはいるが、いかに活かすかについては一切記載はない。プロの子女はしばしば同じ道を進むことが多く、それは一見、遺伝のように見える。けれどもおそらくそうではない。親はＤＮＡではなく環境を与えているのだ。やはり氏より育ち。ＤＮＡ研究者の偽らざる感慨である。

あるいは、私たち生物学者にとっての「プロフェッショナル」の定義とはなんだろうか？　それについて語るには、まずわれわれの「仕事」について説明する必要があるだろう。

髭《ひげ》もじゃで髪は鳥の巣みたいな博士が、プクプク泡を立てている試験管や色とりどりの液が入ったフラスコのあいだを忙しく立ち歩いている……。古いＳＦ映画に出てきそうな、そんなステレオタイプな実験室を想像している方がいるとすれば、分子生物学の現場を見るときっと戸惑うことだろう。そこは基本的にとても清潔で、とてもしんとしている。

そしてすべてのものがとても小さい。私たちが使う試験管は、二センチメートル足らずのプラスチック容器であり、円錐形の底にほんの少しだけたまっている反応液は、マイクロリットルの量、まさにすずめの涙ほどしかない。目を凝らして見ないと、あるのかないのかすらわからない。しかし、たとえ目を凝らしてもその液に溶け込んでいるDNAの姿はまったく見えない。私たちは、そこに一定量のDNAが溶け込んでいると想定して仕事を開始する。この試薬を添加するとDNAは切断され、別の操作を行うとそこに新しい配列が加わり、さらに特別な酵素を加えるとDNAが再結合する。そう信じながら実験を進める。

このような過程を何段階も、あるいは何十段階も経て、初めて実験結果が目で見える地点に至る。たとえば、そのDNAを取り込んだ大腸菌のコロニーが発色するというような形で。そして多くの場合、実験結果は予想していたものとは異なるのである。私はいつも学生に言う。ここからがほんとうの実験の始まりだと。与えられた手続きを行って、予想した結果が得られるのは当たり前である。当たり前のことが起こらないとき、どこに問題があるのか。その所在を突き止める能力を身につけることこそがプロになるということとなんだよと。

音楽の起源

芸術の世界における「プロフェッショナル」の定義は、さらに曖昧《あいまい》だ。そもそも、音楽家や画家には、資格というものが存在せず、芸術が世界から消滅したところで人類が滅亡するわけでもない。

それにもかかわらず、私たちの魂と肉体は切実に芸術を希求し、その道のプロによる美技を渇望し続けてきた。

とある秋の一夜、私はグールドのピアノがゆっくりと演奏するバッハのゴルトベルク変奏曲を聴いていた。そこには呼吸があり、脈拍があり、そして起伏がある。私の思いは時間を遡《さかのぼ》り、過去のささいな袋小路《ふくろこうじ》につきあたり、とりとめのない夢想へと拡散する。ふと気がつくといつの間にか曲は終わって、静けさがあたりを包んでいる。

私たちが、ひとりになって音楽に耳を傾けるのはいったいなぜだろう。私たちがここまで切実に音楽を必要とする理由はいったいなんだろうか。

多くの研究者は、音楽の進化論的な起源が、生物の求愛行動コミュニケーションにあると考えている。

生命科学者ライアル・ワトソンは、ミャンマーに生息する霊長類ギボン（テナガザル）の、実に優雅なデュエットを紹介している。雄がまず独特の曲調で歌い始める。やがてそこへ雌が加わる。雌もまた独自の歌を持ち寄る。曲は見事なまでに調和して、二匹だけの特別な歌となる。これがおそらく最初の歌で、音楽の初源的な形態だったのではないかと。

私の考えは少し違う。私たちが音楽から感得するその呼吸と脈拍と起伏は、まさに自分自身の呼吸と脈拍と起伏そのものではないか。つまりリズムである。生命はリズムの循環に支配され、かつ駆動されている。肺の起伏、心臓の鼓動、筋肉の収縮のインパルス、セックスの律動。これらはすべて生命を刻むリズムであると同時に、私たちに自分のいのちの実在性を確認させる音でもある。つまり、音楽とは、私たちが外部に作り出した生命のリズムのレファレンスなのだ。文字通り、音楽とは生命のメトロノームなのである。そのことについてワトソンと話してみたかった。

生命としてのストラディヴァリウス

音楽を生命のメトロノームとして捉えようとするとき、優れた音楽家はその身体性を楽器にまで拡張する。そんなことを私に気づかせてくれたのが、イギリスの作家トビー・フェイバーの次のような文章だった。

「男性のヴァイオリニストは楽器を異性と捉える。マキシム・ヴェンゲーロフは、自分とストラディヴァリウスの関係を端的に『結婚』だと言った。一方、女性のヴァイオリニストは、楽器を自分の身体の延長と考える。アンネ＝ゾフィー・ムターは、肩当てを使わず、露出した肩にストラディヴァリウスを直接当てる。文字通り、ストラディヴァリウスは生きているのだ。呼吸をし、温度を感じ、記憶する。ルイス・クラスナーは、ナタン・ミルシュタインから譲り受けたストラディヴァリウス《ダンクラ》を手にしたとき、前の持ち主の弾き方や音がまだそのヴァイオリンの中にあるのを感じたという」

（『ストラディヴァリウス―5挺のヴァイオリンと1挺のチェロと天才の物語』トビー・フェイバー著、

中島伸子訳、白揚社より要約）

音楽は時間の芸術としてである。ヴァイオリンはそれをもっとも優美に物語る楽器だと思う。ヴァイオリンの音は、その弦が発しているのではない。音は常に求められるものとしてある。弾き始められた音はその到達点を求めて、ブリッジを介しトウヒ材で作られた美しい表板を振動させる。表板の裏にはバス・バーという支持材が縦方向に取り付けられており、サウンドポストという細い円柱が、カエデ材で作られた裏板とのあいだをつないでいる。これらが音を伝える。表と裏、そして周りを囲むリブ材によって閉じ込められた音は内部を巡回し整流され出口を求める。そして初めてｆ字孔から輝かしい光の束として外部にこぼれ出す。次々と。音と音は時間の関数として互いに重なりあい、響きあって、音の色彩を作り出す。アントニオ・ストラディヴァリはこの音の動きと作用を正確に知っていた。

思えば、彼が生まれた一七世紀はパラダイム・シフトの時代だった。レンズが磨かれ、光の動きと作用が解析された。望遠鏡と顕微鏡が作られ、マクロにもミクロにも無限の小宇宙の扉が開かれた。その潮流の中にあって、ヨハネス・フェルメールは、光の粒が時間の関数として絶えず動いていることを知り、それを自在に操ることを希求した。つまり彼は絵の中に時間を描き出そうとした。

同じ頃、まったく同じことをストラディヴァリは、音について気づいたのだ。楽器の中に時間を作り出すこと。音が音を求めること。フェルメールの光を、いまだに誰も超えることができないように、ストラディヴァリの音を、その後の技術は超えることができない。なぜならそれは、フェルメールの光もストラディヴァリの音も、最初から動的なものとして作られ、絶えず息吹を吹き込まれ、温度を受け入れ、記憶を更新し、解釈され続けるもの、つまり生命的なものとしてこの世界に生み出され、今もなお生き続けるものだからである。

だからこそ、この希有《けう》の楽器の生の音に触れることは、そのまま、長い歴史の移ろいと、そこに流れるみずみずしい生命の振動を体感する希有の時間となる。

暗闇がもたらす発見

音楽が生命のメトロノームならば、視覚によって捉えられる芸術は、私たちにいかなる身体的発見をもたらしてくれるのだろうか。

私たちは視覚情報をたいへん重要な手がかりとして生活している。百聞は一見に如《し》かずというとおり、視覚、聴覚、嗅覚《きゅうかく》、味覚、触覚の五感のうち、視覚の占める割合はたいへん高い。その視覚が、あるときまったく失われてしまうような状況に陥ったら、私たちはいったいどうなるだろう。

現代芸術家、荒川修作《あらかわしゅうさく》が岐阜《ぎふ》県につくった世界最大の芸術作品、『養老天命反転地』（詩人マドリン・ギンズとの共作）を訪問したときのことである。すり鉢状の円形競技場のような場所に、斜めに建った家、行き止まりの廊下、迷路のような部屋など、感覚を幻惑するようなインスタレーションが散在していた。その中のひとつに挑戦してみた。斜面に穿《うが》たれた四角い入り口がひとつ。狭い通路が内部に続くが、暗い奥がどのようになっているかは見通せない。入ってみる。しばらくのあいだは入り口からわずかに入る光でほの明るい壁が見えているが、曲がりくねる通路を進むうちに完全な暗闇の中に閉ざされる。両手で壁を探りながら歩こうとするが、道がどうなっているかまったくわからない。そのうち自分が袋小路に行き当たってしまったらしいことに気づいた。手探りで後退しようとするも、今、自分が来た道がわからない。あれ、こっちかな。その先に進もうとするとまたもや袋小路だ。完全な暗闇の中で迷ってしまった。このままここから出られなかったらどうしよう。その瞬間、底知れない恐怖感にとらわれた。と同時に、落ち着け、という心の声がした。目をつむり、両手に触れる壁の感覚に注意を向けた。壁が曲がっていく方向が感じ取れる。

まもなく通路の向こうにかすかな光が見え、自分が入ってきた通路がわかって事なきを得た。ほっとした。そして自分が入り込んだ暗い穴がそれほど深いわけでもなんでもないことを知った。

少し前、たいへん興味深い本を読む機会があった。『目の見えない人は世界をどう見ているのか』（伊藤亜紗《あさ》著、光文社新書）である。著者は、東京工業大学リベラルアーツ研究教育院の教授で、視覚障がい者にインタビューしてこの本を書いた。

あるときまで目が見えていたにもかかわらず、何らかの理由で視覚を失ってしまった人たちがどのようにして世界を感じ取っているか、その実感に寄り添って具体的に書き表されていく。シリアスなテーマにもかかわらず文体は軽やかでわかりやすい。視覚を失った人たちはそれぞれの方法で、世界を再構築している。

暗闇とはいったい何なのか、暗闇の中で何が起こっているのか。荒川修作の作品や伊藤亜紗の著作が示そうとしていることをあえて一言でいうならば、暗闇で視覚が失われることは、欠落ではなく、むしろ脳の内部に新しい扉が開かれる契機だ、ということである。その開かれ方は人それぞれだが、欠落を補って余りあるほど豊かな方法で、視覚以外の感覚が立ち上がり、世界を新しい方法で捉え直そうとする。つまり暗闇は、私たちに生命の柔軟さ、可変性を体感させる刺激となる。その感覚は、暗闇から出たあとも持続するものとなるだろう。

一九八八年にドイツの哲学博士アンドレアス・ハイネッケが発案したエンターテインメント型ワークショップ「ダイアログ・イン・ザ・ダーク」をご存じだろうか。このワークショップでは、参加者がグループを組んで光が遮断された空間に入り、視覚障がい者のアテンドにより、さまざまなシーンを体験する。

ひとたびダイアログ・イン・ザ・ダークの暗闇に入ると、視覚は役に立たない。耳をそばだて、音や声を求めようとする。手や足の裏、白杖であたりを触り、手がかりをつかもうと躍起になる。耳を澄まし、感覚を研ぎ澄ませるとき、まさに心が開かれた状態になるのだ。仮に段差の感覚を得れば、とっさに危険だと判断し、身体《からだ》は自然と平衡を保つ。それと同時に、今度は言葉に出して、周りの人に段差の存在を伝えようとする。伝えてもらった側は、段差があるという情報だけでなく、教えてくれた人からの信頼や愛情を受けることになる。

ダイアログ・イン・ザ・ダークという闇の空間は、こうして脳の内部に新しい扉を開く。開かれた扉の向こうでは他者との交流と交感がより動的なものになるのだ。

エッシャーの到達点

二〇〇六年一一月にオランダの特異な版画家、M.C.エッシャーの大規模な展覧会であるスーパーエッシャー展が、渋谷で開催されたときのこと。最終日に至るまで連日たいへんな盛況で、入場券売り場の窓口にも行列ができていた（結局、一八万人以上が来場したという）。それだけエッシャーはたくさんの人たちに愛されているのだ。この展覧会は、過去幾度か日本で開催された大規模なエッシャー展と比べても、実に刮目《かつもく》すべき画期的な試みがなされていた。エッシャーがそのあくなき情熱で取り組んだ幾何学的課題は科学的な視点から見ても極めて興味深いものである。けれどもそのことはひとまず措《お》いて、スーパーエッシャー展では優れて実験的な試みが行われていた。

それはまず展覧会のポスターに現れた。エッシャーは作品の隅に、自分の頭文字ＭＣＥを、彼が自ら作り出した、正方形に切り込みを入れた特異的なタイポグラフィで刻印している（ＭＣＥモノグラム）。ポスターはこのＭＣＥの上に、同じエッシャー流タイポグラフィで、SUPERの文字を入れているのだ。オリジナルに、そのイミテーションを付加する。これはおそらく美術界（そういうものがあるとして）的にはルール違反ぎりぎりの実験だろう。しかしここにはそんな詮索を軽やかに跳ね返して、誰に対しても「あっ、エッシャーだ」と知らしめる快適な訴求力がある。もし彼が自らポスターを作製したらきっとこういうデザインで文字をしたためるだろうと思わせた点で、この展覧会はすでに成功しているのだ（ただし、この実験の背景にはやはりオリジナルに対するそれなりの配慮があるようだ。ポスターをよく見ると小さな英字で、「エッシャーはその作品に、ＭＣＥのモノグラムをサインするのが常でした。今回のスーパーエッシャー展では、最新のコンピュータ・グラフィックスを援用してこの特異的な版画家の新しい見方を提案します」［福岡訳］という意味の注が付記されている）。

そのコンピュータ・グラフィックスは実際、エッシャーの作品自体を極めて斬新な拡大解釈で提示している。会場の一角にはCGを映し出す大型タッチパネルが設置してあり、そこにはエッシャーの作品から「立方体による空間充塡」および、それと同じ技法で構成された、奇妙な魚が隊列を作って群泳する「深み」が再現されている（会場にはもちろんそのオリジナルがある）。これらの作品は、X、Y、Z軸に沿って均等に配置された格子もしくは魚を、斜めから無限の深みにまで眺めた様子を描いたもので、ちょうど建設中のビルの鉄骨組みを透かして見たような、くらくらとする視覚を見た者にもたらす。

驚くべきは、来訪者がこのCG画面に手を触れると画像を縦横斜め、自由自在に動かすことができることである。つまり〝深み〟の幻惑感をあらゆる方向から再体験することが実現されているのだ。これはまさにCGならではの実験であり、実験はここでも見事な成功を収めている。というのも、もしエッシャーが今日生きていたとすれば、彼はこのCGをきっと心から気に入ったことだろうと思えるからだ。彼が実現したかったもののすべてがここにある。そして同時に来場者は、版画作品として彼のオリジナルがあるからここのCGに文字通り〝深み〟がもたらされていることにあらためて気づかされるのだ。

その意味で、エッシャー作品は今後、さらに多様な形でCGに引用されていくのは間違いない。そしてその引用はオリジナル版画とのあいだで、不思議な共鳴を起こすだろう。CGによるもうひとつの試みは、「円の極限」シリーズの展開である。「円の極限」は、エッシャーの最高傑作「天国と地獄」に代表されるように、天使と悪魔が互いに図と地を構成しながら球面を覆い尽くすという表現である。彼は、規則的な〝図と地〟のパターンを使って平面を埋め尽くす実験の虜《とりこ》となって、夥《おびただ》しい作品を生み出した。まもなくエッシャーの充塡は辺縁のない全世界、つまり球体の表面全体を隙間なく埋め尽くす方向を目指すこととなる。

それは平面での表現としては、円の中心点から周縁に向けて図と地が徐々に小さく窮《きわ》まっていくという収束パターンをとる。しかしこれは、地球儀を眺めたとき縁《ふち》の部分の国々がつぶれて見えるが、実際には地球儀を回せばその国を視界の中心に捉えることができるのと同様、ほんとうは同寸のパターンが周縁部にも存在するものとして描かれているはずなのだ。実際、会場のＣＧ画面は指でドラッグすることによって周縁部の画像を〝引き出せる〟ように作られていた（が、地球儀のようにぐるぐる回せるまでにはなっていなかった）。

このようにエッシャーが直面した平面上の静止画における制約をＣＧはいとも簡単に解除することができるのだ。

しかしこの展覧会におけるもっとも大胆な〝逸脱〟は、エッシャーの作品に現れる不思議な、そして一度見ると忘れることのできない奇妙な造形を、「切り出して」しまったことにある。めずらしい昆虫の幼虫のような〝カールアップ〟（この邦題は失礼にも、でんぐりでんぐり、とある）、「深み」の中を一心不乱に泳ぐ〝魚〟、あるいは自らの翼をくぐり抜ける〝ドラゴン〟。これらがなんとプラスチック模型となって会場に置かれた〝ガチャガチャ〟販売機でひとつ三〇〇円で買えるのだ。ガチャガチャの常としてカプセルを開けるまで何が出たのかわからない。そこで人々は好みのキャラクターが手に入るまで何個も〝大人買い〟することになる。切り出された造形には地下聖堂を歩く白マスクの行者までが含まれ、中にはほんとうにレア商品があるという。実は私も数点を入手してしまったが、机上に並べて眺めてみると、ある種のチープ感は否めない。これがエッシャー作品の〝新しい見方（the creative path）〟か否かは議論が分かれるだろう。しかし、エッシャーの造形をここまでキャラクタライズしてしまったこの展覧会の企画者たちに私はある意味で心から敬意を表する。なぜならここに現れたものはまぎれもなくエッシャーの魅力を象徴するアイコンであり、観る者をもう一度エッシャー作品の深みに引き込まずには措かないからである。

エッシャーの遺言、あるいは世界を支える三匹の蛇

エッシャー最後の作品は、一九六九年に製作された「蛇」である。ブルーノ・エルンストの『エッシャーの宇宙』（坂根《さかね》厳夫《いつお》訳、朝日新聞社）には、エッシャー自身から聞いたとされる作品の構想について次のように書かれている。

「鎖かたびら状の形の外周を小さいリングで縁どりし、中心部に大きなリングをつけるというものであった。蛇は、その大きな輪のすき間から出たり入ったりするもののようであった」

この作品を観る者に対して、まずダイレクトに飛びかかってくるものは、爬虫《はちゅう》類が放

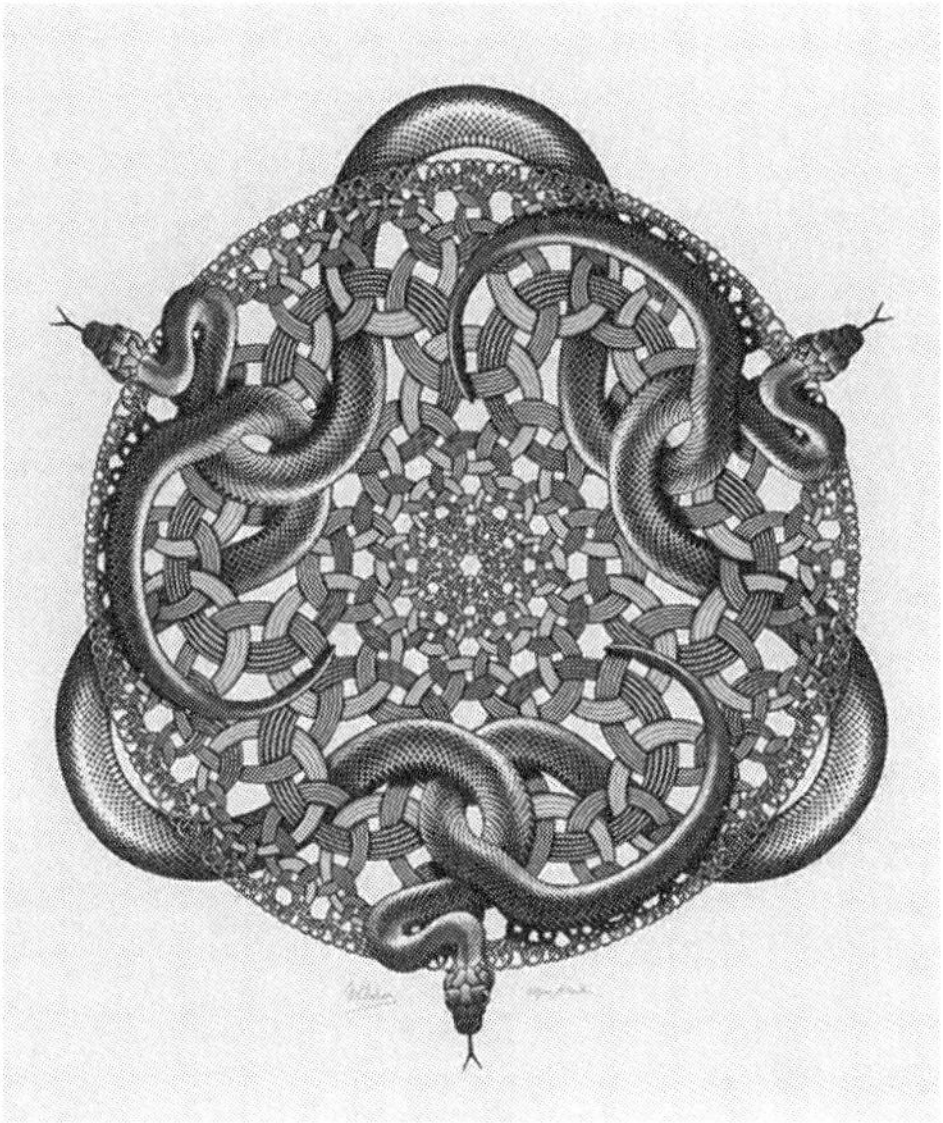

エッシャー「蛇」
M.C.Escher's"Snakes"

協力：ユニフォトプレス

つ硬質な輝きのリアリティである。蛇は確かに今生きて、息を潜めている。赤みがかった茶色の鱗《うろこ》のエッジや窪《くぼ》みの質感が、木版技術だけでここまで高度に描き出されることに驚嘆せざるを得ない。リトグラフ、メゾチントなどさまざまな表現技術を自在に使いこなしたエッシャーが最後に木版に戻ったことも興味深い。

次に、私たちは不思議な環《わ》の連鎖に捉えられる。環は真鍮《しんちゅう》を思わせる鈍い黄銅色をして交差しあっている。その環は中央に向かって収斂《しゅうれん》していくが、それは無限遠点への消失《バニッシュ》ではない。環は眼で見える小ささにとどまって中央に白い空隙を残す。

この作品を、文字通り、エッシャーの〝最終解答〟と受け取ることが可能だと私には思える。彼はこのとき自分に残された時間に限りがあることを知っていたはずである。ここには、彼が長いあいだ絶えず試行を続けてきた〝お気に入り〟のモチーフは何ひとつ現れていない。互いに絡まりあった蛇の姿は観る者を幻惑するが、二つに割れた舌を出して虚空《こくう》を凝視する不気味な頭部から、生命感あふれる太い胴体、優美な曲線をもって尖《とが》る尾部を眼で追えば、それは確かに一匹の蛇であり、環の表と裏を行き来するトポロジーに乱れはない。つまりここには騙《だま》し絵的な仕掛けが満ちあふれているにもかかわらず、騙し絵の要素はひとつもないのだ。あるいは、環の意匠にも、かつてのテーマ、すなわち規則正しい「図と地」のパターンによる空間の充塡といったものはない。そういった希求はここでは一切姿を消している。なぜだろうか。

彼がこの作品を制作している現場を記録した映像が残されている（『metamorphose』ヤン・ボスドリス監督、IMAGICA TVから日本版DVDが発売されている）。これを見るとひとつのヒントをうかがい知ることができる。エッシャーはこのとき七〇歳を越えていたが、おそらく彼が若い頃からずっと一貫して保ち続けていただろう静謐《せいひつ》ながら快活なクラフツマンシップを湛《たた》えて一心に作業に集中している。そして、彼の手元を見ると、一二〇度の中心角を持つ三分の一ピースの版木を基本形として用い、それを三回、一二〇度ずつ回転することによってこの「蛇」の全世界が形作られていることがわかる。基本版木には、絡まりあう二匹の蛇の、頭部から胸部にかけての三分の一と胸部から尾部への残り三分の二が含まれている。それは正確に一匹分の蛇であり、三つの基本版木が結合されたとき前後がピタリと一致して三匹の蛇を生み出す。見事としか言いようがない。完成された版画からは接合線がどこにあるのかまったくわからない。

エッシャーが、あたかもある仮説をめぐってたゆまず実験を繰り返す科学者のようにその一生をかけて追求した試みは、幾何学的規則による空間の充填である。それは、しばしば、平面を〝分割（division）〟するテーマとして語られることが多い。しかし、エッシャーが行っていた実験の意図はむしろ分割の逆であった。それは、平面の、あるいは空間の〝充填（filling）〟だった。ごくシンプルな規則によって、この世界を埋め尽くすことができるのではないだろうか。彼はこのパズルに没入したのである。やがて彼は、単に平面を充填することだけでは満足しなくなった。

おそらく辺縁部分が、常に、ジグソーパズルの枠のような線分で寸断されることに不全感を感じたのだろう。まもなく、エッシャーの「充塡」は、辺縁のない全世界、すなわち球体の表面全体を埋め尽くす方向を目指すことになる。それは平面的な表現としては、円の中心点から周縁に向けて徐々に窮まっていく無限への収束となった。光と影、善と悪、白と黒、天使と悪魔。図と地はそのようにして世界を充填することはできる。しかし、一方を見るとき他方は背景として沈み、両方を同時に見ることはできない。二つの要素はどこまでも対立すること以外に存在することができない。エッシャーはもちろんそのことについても十分自覚的であったことだろう。

代数的に世界は簡単に二等分できる。しかし、一を三で割り切ることはできない。○・三三三三三三……という無限小数を与えるだけである。ところが不思議なことに、幾何学的、つまりグラフィカルには、世界は実に簡単に三等分することができる。代数的に三で割り切れないはずの円の面積は、それを描いたコンパスで円周を区切ると（六等分になるので）正確に三等分できる。そして、三つの等価なピースは、世界を、対立する「図と地」としてではなく、三つの力の平衡として支えあうことができるのである。

蛇は三匹いて、紡ぎあう環を持ち上げている。エッシャーのグラフィカルな認識の旅の到達点を、私はそのように捉えてみたい。

時間を・重ねることは・生きること

メゾチント、という言葉を知ったのはいつのことだろう。たぶん、少年の頃、エッシャーの奇妙な作品——騙し絵であるとともに、宇宙的な深度を持っていた——を見たときだったと思う。そこに付されていたこの言葉に不思議な響きを感じた。銅版画の一種であるらしかったが、実際に行われていることは知らないまま時が過ぎた。

その不思議な響きに再び触れたのは、日本橋蛎殻《かきがら》町にあるミュゼ浜口陽三《ようぞう》・ヤマサコレクションを訪問したときだった。路面のエントランスから続くスロープと木の内装は、スタイリッシュなカフェか輸入家具のショールームのように見える。それもそのはず。この美術館のデザインは、エドワード鈴木の手によるものなのだ。

夏の企画展のタイトルは「千一億光年トンネル」。私はまず一階に飾られた浜口陽三の作品を拝見することとした。彼の名は知っていたが、間近できちんと作品に接するのは初めてである。モチーフはいずれも小さな生物や果物など。漆黒の背景に、クルミやサクランボ、レモンがさりげなく描かれている。そして、まるで夜光虫やヒカリゴケのように、それ自体が発光しているかのように、ぼんやり色づいて浮かんでいるように見える。これらはいずれも、浜口が考案したカラー・メゾチントの手法で作られているという。

私は、切られたスイカ、尾を外側に向けて並べられた魚、平たい器に盛られたブドウとザクロに心を惹《ひ》かれた。なぜだろう。絵のあいだを何度か往復しているうちに気づかされた。ここにはある種の均衡があるのだ。横長の構図は、いずれも左右に行くほど細くなってゆき、水平線におかれた三日月のようなそのかたちは、私に天秤《てんびん》の均衡を思い出させた。そう思って、他の絵をあらためて眺めてみると、青い皿にちらばったサクランボにも、カニの集いにも、たばねられたアスパラガスにも、生命だけが放つバランスの妙を感じ取ることができる。メゾチントの、細い線を重ねて作り出された形象には生命が吹き込まれている。

キュレーターの神林《かんばやし》菜穂子《なほこ》さんの特別の計らいで、私は、生まれて初めて、メゾチントがいかなるものなのか、この目で見て、体験することができた。彼女が、銅板と工具の数々を使わせてくれたのである。鈍く光る銅板に、ベルソーでギザギザをつけていく。ベルソーとは金属のヘラに似た道具で、先端が微細なノコギリ歯のようになっている。ベルソーを前後に動かすと自然に歯が移動していく。力の入れ具合や削る方向、回数、角度などを変えることによって、銅板上に刻印される微細なギザギザの深度に変化を与えることができる。他にもスクレイパーやバニッシャーといった工具があり、表面の凹凸にさらに微妙な変化を与えることができる。ここにインクをかぶせ、余分なインクは布でふきとる。深い谷には多量のインクが入り、深い黒に、浅い谷には少量のインクが入り、浅い黒になる。これらを調整することにより、同じ黒でも無限の階調を表現できることになる。エッシャーの宇宙はこうして作られていたのだ！　浜口はさらに、数枚の銅版原画を色ごとに正確に重ね合わせることに成功し、多色刷りのメゾチントを開発したのだった。

こんなことを言うのは不遜《ふそん》に聞こえるかもしれないが、膨大な時間を費やして、銅板に向かって一心に線を削り出していくという、まさに何光年もの真っ暗なトンネルをひとり掘り進んでいく孤独と愉悦を、私は感覚としてすぐに理解できるような気がした。

なぜなら——場所と道具こそ違えど——私もずっと似たようなトンネルを掘り進んできたからである。肉眼では見えない細胞のミクロな構造を観察するためには、顕微鏡を使わなくてはならない。顕微鏡は、ちょうどメゾチントの技法が完成されたのと同じ一七世紀中葉に、エッシャーの国、オランダで開発された。そして細胞の細部を顕微鏡で見るためには、今でも——ある意味でメゾチントに似た——工芸的あるいは芸術的な手作業が必要となるのである。

細胞は水をたっぷり含んだやわらかい袋だ。直径は数十マイクロメートルくらい。顕微鏡の焦点深度（フォーカスが合う範囲）は極めて浅いので、生のままの細胞は厚みがありすしかし、細胞はもっと薄くそぎ切りにしないと観察できないのだ。しかしやわらかい袋（たとえばイクラを考えてほしい）はそのままではそぎ切りになんてできない。くずれて内容物が流れ出てしまう。そこで生物学者は、細胞の内部構造はそのまま保ちながら、細胞の水分を少しずつ、もっと硬い成分に置き換えることを思いついた。選ばれたのは蠟《ろう》である。細胞を蠟人形にしてしまうのだ。しかしこれは言うは易《やす》く行うは難《かた》し。一気にはできない。少しずつ、少しずつ置き換えていくのである。水分を徐々に濃度の高いアルコールに換え、アルコールをさらに特殊な溶媒《ようばい》に換え、その溶媒をより蠟に近い溶媒へと置換していく。こうして細胞から水分を奪い取り、そのかわり蠟成分を閉じ込めた蠟細胞が作られる。この多段階工程はさながら染色や塗り物の伝統工芸に似ている。こうしてようやくできた蠟細胞を、特殊な万力《まんりき》のようなものにはさみ、するどいナイフで薄く薄くそぎ切りにしていく。そぎ切りされたかつおの削り節状の（実際は厚さ数マイクロメートル）細胞サンプルを切片（セクション）と呼ぶ。ここにも細心の注意と熟達の技術がいる。細胞はミクロすぎて、この段階では、どちらの向きに薄切りが行われているか実験者は知ることができない。キウイを横に切れば種は円状に並ぶが、縦に切ればハシゴ状に並ぶ。

生物学者には実にこのような空間的なセンスが必要となる。薄切りにしたセクションに番号をつけ、さらに特殊な工程を経て、スライドグラスの上に固定する。この切片を順に顕微鏡観察しながら、生物学者は頭の中で、あたかもCTスキャンの映像を三次元的に再構成するように、細胞のイメージを思い浮かべるのである。

そんなことを思い出しながら、私は美術館中央のらせん階段を降りて、地階の企画展会場に行った。そしてそこであっと声をあげそうになった。あらゆる場所に切片＝セクションが散らばっていたからである。Nerhol《ネルホル》の作品は、文字通り、樹木の切り株のセクションを積み上げて、樹木がかつて形作っていた以上の空間を再現したものだったし、水戸部七絵《みとべななえ》の作品は、大胆で力強い方法でセクションが鉄板の上に、盛られ、積み上げられていた。そこには新しい生命のかたちが浮かび上がっている。奥村綱雄《おくむらつなお》の作品は、近くに行かなければ、それがどのような方法で作られているのかわからない。いや、近くで見てもそれが何なのかにわかには理解できない。神林さんはわざわざ作品を覆っている大きなアクリルケースを開けて、私が直《じか》に作品に触れられるようにしてくれた。もちろん、触れたといっても指先で触れたわけではない。嗅覚によって、作品の意味に触れさせてくれたのだ。それは直接的には皮脂の匂い、間接的には時間の香りだった。奥村綱雄が、小出由紀子《こいでゆきこ》事務所の作家だと聞いて得心した。細い糸で隙間なく刺繍《ししゅう》された布は、それ自体、無数のタンパク質の分子で稠密《ちゅうみつ》に満たされた細胞の内部を私に思い起こさせた。

展覧会の通奏低音を無理につなげる必要はないかもしれないが、神林さんによればそれは「重ねる」という表現ではないか、ということだった。確かに、メゾチントには無数の溝が重ねられており、樹木には切片が、刺繍には糸が、鉄製パネルには重力が、「重ね」られている。一方で、そこに「重ね」られているのはマテリアルというよりも、時間そのものであるともいえる。

私たち生物学者は、細胞を蠟で固め、そぎ切りにし、ガラスの上に貼り付けて、あまつさえ人工的な彩色までほどこして細胞の極小の構築を見極めようとする。ありのままの生命を生きたまま観察することはできないので、仕方なくそうしているのである。

確かに、そこには何らかの構造物が見えるのだが、実は、その時点ですでにそこには生命はない。細胞は完全に死んでおり、そこにあるのは死の一断片＝セクションでしかない。つまり生命の時間は完全に止まっているのだ。しかし、私たちはかすかな願いを込めて、その断片を集め、重ね合わせることによって、あるいは隙間なくつなぎ直すことによって、そして、そのあいだを想像力によって埋めることによって、かつてそこにあったはずの生命の時間をわずかでも取り戻そうとしているのである。
その意味においては——つまり、世界のあり方をなんとか再構築し、表現しようとする営みであるという点においては——科学と芸術は同じ目標を持ち、互いにつながりあっているといってもよいかもしれない。

生命と芸術の局在論

「その日は日曜日だったが、日曜日でも彼は診療していた。待合室に患者二人がいるだけで、ビルはがらんとしている。彼はすぐ会ってくれた。ぼくたちは話をし、彼もていねいにぼくの役に立つように応対してくれた……と、ふと彼の頭上の棚に並んでいる五、六冊の非常に古い医学書をぼくは見あげた。そして彼の仕業だなとわかった」

(『レッド・ドラゴン　決定版 上』トマス・ハリス著、小倉多加志訳、早川書房)

異常犯罪捜査の専門家ウィル・グレアムは、連続殺人事件を調査していた。いずれも被害者は猟奇的な方法で殺されていた。六人目の犠牲者は特にひどかった。腹が割かれ、刺し傷や切り傷が至るところにつけられ、手足を開いてハンガーボードに縛りつけられていた。太ももには矢までが突き刺されていた。どんな些細《ささい》なことでもいい、手がかりを必死に求めていたグレアムは、被害者の脚に古傷があるのを見つけた。記録を調べ、五年前、その傷を最初に手当てした救急治療室勤務のレジデント医を訪問した。ハンニバル・レクター。現在、彼は精神科医として開業していた。上記の一節は、グレアムが、このレクターこそ真犯人だと気づく、息詰まる一瞬を引用したものである。

なぜグレアムは、古い医学書の背表紙を見ただけでレクターが犯人だとわかったのか。グレアムもすぐには自分の胸騒ぎの原因がわからなかった。やっと理由がわかったのは、彼が病院に運ばれて一週間くらいたってからのことだった。古い医学書にしばしば掲載された「負傷者」の絵。グレアムはかつてそれをジョージ・ワシントン大学で受けた講義で見たことがあった。「負傷者」とは、ひとつの人体図にさまざまな種類の戦傷を示し、その対処法が記載された中世の図解である。「あの六人目の犠牲者の体の格好と負傷の具合が、その〈負傷者〉にそっくりだったんだ」

グレアムは、まず応援を呼ばねばならないと感じた。さりげなくレクターの診察室を辞して廊下に出て、公衆電話から連絡しようとした。背後に、靴を脱いで足音を消したレクターが迫っていることに彼はまったく気づかなかった。

この小説を読んで以来、私はずっと「負傷者」を実際に見てみたいと思っていた。というのも、「負傷者」には、現代の科学研究にも通じる局在論的な世界の捉え方が見て取れたのだ。

それがウエルカム財団のコレクションを見学することによってとうとう実現した。『武器による傷の対処法』（一五世紀半ば）がそれである。両腕を開いて、右足を軽く開いた男の身体のあらゆる場所に、刀や剣、槍《やり》や矢などが突き刺さり、打ちかかり、裂傷などの創傷がことごとく赤く口を開いている。しかし男の表情はうつろで、どこまでも平然としている。

レクター博士は、この図解を面白いと感じたのだ。アーティスティックだと思ったのだ。

ある種のデザイン性を見て取ったのだ。そこで自らそれを正確に再現してみたくなったのだ。そして——ここが奇才トマス・ハリスが造形した、類まれなる天才レクター博士をめぐる物語の真骨頂なのだが——そのことに気づいたウィル・グレアムもまた、かつて「負傷者」を見たとき、同じように感じたに違いないのである。面白いと感じ、アーティスティックだと思い、デザイン性を見て取ったのだ。だからこそ彼は覚えていたのだし、気づくこともできたのである。この絵をいつか見てみたいと願っていた私も、この展覧会にわざわざ足を運んだ来場者も、また同じ嗜好《しこう》の中にある。

ここには人体を、あるいは世界を、分けて、分けて、分けて、その内部を、目を皿のようにして覗《のぞ》き見ようとしてきた人間の歴史がある。どうして私たちはそれほどまで切実に、私たち自身の中を開けてみたかったのだろう。もちろんそれは私とはいったい何かを、そして世界の成り立ちをわかりたかったからである。

レオナルド・ダ・ヴィンチは処刑場にかよって、腑分《ふわ》けされた人体を克明にスケッチした。ミケランジェロはきれいに皮を剝《は》がれた脚の筋肉の走行を記録した。ペルシャでもチベットでも、そして日本でも、内臓や血管、子宮内部に育つ胎児の様子が描かれている。

それはいずれも世界を開けて、開いて、分けて、その結果、得られたものである。

私たちは、「ボディ・パーツ」からなっている。心臓はポンプに、肺はふいごに、血管は樋《とい》に、関節は滑車に、骨はまさに骨組に、たとえられた。そこにはメカニズムがあり、秩序があった。秩序には確かな美が宿っていた。

やがて分けることの解像度が上がると、つまり顕微鏡が発明されると、ボディ・パーツはよりミクロな、斉一《せいいつ》的なサブレベルの秩序から成り立っていることがわかった。細胞の発見だった。まさに分けることによってわかったのである。細胞はさらに細かい小器官から成り立っていた。小器官はより小さな粒子、つまりタンパク質やDNAから成り立っている。

一九五三年、分ける行為がひとつの極点に達した。イギリスのケンブリッジ大学にいたジェームズ・ワトソンとフランシス・クリックは、DNAが二重らせん構造をしているというあまりにも美しくかつシンプルな事実を発表した。当時、ワトソンはまだ二〇代、クリックも三〇代だった。

二重らせんが重大な意味を持っていたのは、その構造が美しい秩序を持っていたことだけでなく、その秩序が機能を内包していたからである。DNAの二重らせんは、互いに他を写した対《つい》構造をしている。そして二重らせんが解けるとちょうどポジとネガの関係となる。ポジを元に新しいネガが作られ、元のネガから新しいポジが作られる。すると、そこには二組の新しいDNA二重らせんが誕生する。ここに生命とは、自己を複製しうるメカニズムであるとするテーゼが過不足なく宣明《せんめい》されたのだった。クリックが当時描いたスケッチは現在でも保存されている。らせんを示す丸い球の列のあいだに、円盤状の塩基の「対」がはっきりと記されている。クリックの鉛筆が描き出したさりげないカーブには、一種、自己陶酔に似た揺れのような何かが含まれているように見える。

このようにして、私たちは世界を分けて、分け続けてきた。これによって私たちは膨大な知識を獲得した。生と死のメカニズム。疾患の分子的メカニズム。あるいはヒトゲノム計画によって解読された三〇億文字もの遺伝情報。クリックが描いた円盤の一つ一つがその一文字にあたる。私たちが享受する医学の発展、たくさんの画期的な薬物、先端的なバイオテクノロジーはすべてその上にある。

一方で、この腑分けによって私たちが見失い続けてきたものがある。見失うかわりに造り上げたある種の幻想があると言ってもよい。

それはすでに世界の分解が進行していた一九世紀に、以下のような諫言《かんげん》として現れていた。

「あなた方は研究室で虫を拷問にかけ、細切れにしておられるが、私は青空の下で、セミの歌を聞きながら観察しています。あなた方は薬品を使って細胞や原形質を調べておられるが、私は本能の、もっとも高度な現われ方を研究しています。あなた方は死を詮索しておられるが、私は生を探っているのです」

これはいったい誰の言明だろうか。意外に聞こえるかもしれないが、これはアンリ・ファーブルの『完訳ファーブル昆虫記　第2巻 上』（奥本大三郎《おくもとだいさぶろう》訳、集英社）の一節である。孤高の生物学者ファーブルはおそらく気づいていたのだ。絶え間なく動き続けている現象を見極めること。それは私たちがもっとも苦手とするものである。だから人間はいつも時間を止めようとする。止めてから世界を腑分けしようとする。

時間を止めたとき、そこに見えるのはなんだろうか。そこに見えるのは、本来、動的であったものが、あたかも静的なものであるかのようにフリーズされた、無惨な姿である。それはレクター博士によって、アーティスティックに傷つけられた身体を持つ人物の眼のうつろさに似ている。

それにもかかわらず、私たち科学者はずっと生命現象をそのような操作によって見極めようとしてきた。それしか対象を解析するすべがなかったからである。構成要素が、絶え間なく消長、交換、変化を遂げているはずのもの。それを止め、脱水し、かわりにパラフィンを充塡し、薄く切って、顕微鏡で覗く。そのとき見えるものはなんだろうか。そこに見えるものは、本来、危ういバランスを保ちながら一時もとどまることのないふるまい、つまり、かつて動的な平衡にあったものの、「影」である。そこには秩序がある。それは見事なまでに精密な機械＝メカニズムに見える。

それはしかしある種の幻でもある。機械、すなわちメカニズムの中では、個々のパーツはそれぞれ固有の役割を有する。物質と機能は一対一で対応している。AはBに作用をなし、BはCに作用をなすように見える。一連の因果関係が、単純な線を構成しているように見える。ある機能が、ある特定の部品の上に、あるいはある特定の場所に、「局在」しているという幻想がここに成立した。

　しかし実は、それは単に、そのように見える、ということにすぎない。一時停止のボタンを解除すると、対象はたちまち動きを取り戻す。そして次の一瞬には、それぞれのパーツは、先ほどとはまったく異なった関係性の中に散らばり、そこで新たな相互作用を生み出す。そこでは個々のパーツは新たな文脈の中に置かれ、新たな役割を負荷される。物質と機能の対応は先ほどの一瞬とは異なったものとなり、関係性も変化する。つまり因果の順番が入れかわる。

　この世界のあらゆる要素は、互いに連関し、すべてが一対多の関係でつながりあっている。つまり世界にも、身体にも本来、部分《パーツ》はない。部分と呼び、部分として切り出せるものもない。世界のあらゆる因子は、互いに他を律し、あるいは相補している。そのやりとりには、ある瞬間だけを捉えてみると、供し手と受け手があるように見える。しかしその微分を解き、次の瞬間を見ると、原因と結果は逆転している。あるいは、また別の平衡を求めて動いている。つまり、この世界には、ほんとうの意味で因果関係と呼ぶべきものもまた存在しない。世界は分けないことにはわからない。しかし、世界は分けてもわからないのである。私たちは確かに今、パラダイム・シフトが必要なのだ。その手がかりはどこにあるのだろうか。

自らの脳の上に乗ってそれを軽快にドライブして見せている現代のファーブルは、私たちが現在、すっかりとらわれてしまっている生命の局在論を、その哄笑《こうしょう》性によって、あたかも水上スキーの波しぶきのように、粉々に蹴散らしているかのように見える。

第9章

チャンスは準備された心にのみ降り立つ

抗生物質の発見

抗生物質の発見は、近代医学史上、最大の革命のひとつに数えられる。ペニシリン、ストレプトマイシン、カナマイシンなどの抗生物質は、人類にとって強大な脅威だった感染症——コレラ、赤痢《せきり》、破傷風、結核、食中毒など——に卓効を示した。医師たちも患者たちもこの夢の新薬に驚喜した。その後、どんな未来がやってくるか、まったく想像もしていなかった。

抗生物質について基礎的なことを整理しておこう。抗生物質は、細菌を制圧する薬物を作ろうと目指して開発されたものではなく、まったくの偶然から発見された。これは多くの科学上の発見とまったく同じパターンである。科学上の発見は、ゴールを目指して得られるものではなく、違うフィールドの偶然の産物として不意にやってくる。

たとえばロウソクや油を燃やして明かりを作っていた時代に、より明るい、より強力な光源を作ることをゴールに技術開発が進められたとして、最高の頭脳を集めたとしても、せいぜいロウソクの数を増やしたり、鏡や反射板を使って光を集めたりといった、小手先の改良しかなされなかったはずである。電灯、あるいはＬＥＤといった革命的な光源は、まったく別の新しい分野からもたらされた。

もちろん科学的発見は、常に注意深い観察、あるいは考察によって、初めてかたちを現す。発見を英語では、discovery と表現する。覆い（cover）を外す（dis）とそこに発見が潜んでいる、という意味だが実はほんとうの発見はそのようなものではない。科学の発見は、覆いを外すと金やダイアモンドが燦然《さんぜん》と輝いていました、みたいな宝探し的事象ではまったくない。たとえ覆いを外したとしても、その下にあるものの意味はすぐには見えないし、わからないのだ。たとえそこに発見の契機が横たわっていたとしても、一般の人にはそれが発見されるべき宝物には見えない。輝きもきらめきもない。ただの砂や土にしか見えない。ここでいう一般の人、というのは科学者ではない人、という意味ではない。たとえ知識と専門技術を身につけた経験豊かな科学者であっても、発見を見逃すことが多々ある。

ノーベル賞級の発見がなされると、発見者以外の多くの科学者は、最初はそんなことは信じられない、と思う。やがて追試や検証が進み、発見が発見として確認されていくと、多くの科学者はこんなことは俺にもうすうすわかっていたのに、どうして俺が発見者になれなかったのだろう、と口惜《くや》しい思いにとらわれる。でもそれはあとづけの悔恨にすぎない。発見者と、発見を見逃してしまった人との差は、準備された心の有無である。準備された心、とは"the prepared mind（ザ・プリペアード・マインド）"の訳語で、もともとはフランスの微生物学者ルイ・パスツールの言葉とされる、"Chance favors the prepared mind."という格言に基づく。備えあれば憂いなし、などと訳されることもあるが、私は、チャンスは準備された心にのみ降り立つ、とあえて直訳し、言葉の本来の意味を味わいたい。

抗生物質の発見はまさにそういう発見だった。スコットランドの医学者、アレクサンダー・フレミングが抗生物質の最初の発見者とされる。一九二〇年代のことだった。彼は若い頃、工芸学校に学び、数年間、商船会社に勤めたあと医学校に入り直した。変わった経歴の持ち主である。工芸学校で親しんだ手先を使った技巧や創作の数々――クラフツマンシップ――が彼の「準備された心」のバックグラウンドの形成に大きな寄与をしたのではないかと私は思う。

医師になったあとフレミングは研究を志した。あれこれアイデアを思いついては試行錯誤を繰り返し、そのような実験科学者の常として研究室はいつも雑然としていた。当時

（今現在も）、細菌の培養にはシャーレ（ペトリ皿）が使われる。平たい円盤状の蓋つきのガラス容器である（現在はプラスチック製の使い捨てになっている）。シャーレを加熱消毒したあと、沸騰させた寒天培地を流し込み、蓋をする。寒天培地の中には糖やアミノ酸などの栄養分が入っている。冷えると寒天が固まり、ぷるんとした煮こごり状のゼリーができる。これが細菌の成育のマウンドとなる培地である。大腸菌や黄色ブドウ球菌といった細菌を含んだ液（患者の体液やサンプル）をこのゼリーの上に薄く塗布しておくと（細菌は肉眼では見えないし、液の中に散在しているので顕微鏡で探し出すことも困難である）、細菌が増殖してコロニーという塊を作る。コロニーは白い点として目で見ることが容易にできる。コロニーの数を数えればもとの液にどれくらい細菌が存在していたかがわかる（一匹の細菌からひとつのコロニーができる。細菌は寒天培地の上を自由に移動することはできない。その場でコロニーを作る）。

そんなある日、フレミングは不思議なことに気づいた。

フレミングの発見――コンタミ――

前述したように、あらかじめシャーレを加熱殺菌したり、寒天培地（この中にアミノ酸や糖などの栄養素を入れてある）を煮沸したりするのは、いったんそれらを完全に熱で処理したうえでないと、研究対象となる細菌を観察しているのか、目的外の雑菌を観察しているのかわからなくなってしまうからである。

このように意図しない目的外の雑菌が実験に混入してしまうことを、私たちはコンタミネーション（略してコンタミ）と呼ぶ。初心者はすぐにコンタミを起こしてしまう。熟練した実験者でもしばしばコンタミを起こしてしまう。

現在ではシャーレや実験器具のほとんどが、あらかじめガスやガンマ線で滅菌されてビニール袋に個別封入された使い捨てのプラスチック器具になっており、コンタミに対する安全性が確実に増しているにもかかわらず、コンタミを完全に防ぐことはできない。なぜなら私たちの手、口、鼻、顔、髪などには雑菌がいっぱい付着しているし、空気中にもいくらでも菌や胞子が浮遊しているからである。実験操作でちょっとでも油断するとこれらの菌の侵入を許してしまうのだ。

シャーレには外部からの雑菌を防ぐため、上蓋がついている。とはいえ、内部の菌に酸素を供給しなければならないから蓋は完全に密封されるわけではなく、わずかな間隙が空いている。ここから空気中の雑菌が入り込むことは（不用意に風を送り込んだりしない限り）普通はありえない。しかし、目的とする細菌を培地に植えつけたり、細菌のコロニーを採取したり、いろいろな操作をしないわけにはいかないので蓋を開け閉めする。コンタミはその際に起こるのだ。

コンタミが起こらないよう、実験者はシャーレや寒天培地を殺菌する以外にも何通りもの防御手段を講じている。手をよく洗い、七〇パーセントアルコール溶液をつけてこする。実験台などもアルコール溶液でよく拭いておく。ガスバーナーをつけておき、実験で使用する器具（薬液を入れたガラス瓶の口や試験管など）は常に一度炎をくぐらせ殺菌する。

あるいは念には念を入れて、クリーンベンチという特別な装置の中で実験操作を行うこともある。これは滅菌フィルターを通った空気が内部から外部に向けて一方向にだけ通過するように作られた装置で、実験者はその中に手を突っ込んで、すべての操作を装置の内部で行う。こうすると外部から雑菌が入ることは理論上はない。

クリーンベンチは本来、動物培養細胞実験など、よりコンタミに注意しなければならないクリーンな実験用に開発された装置である。理論上はコンタミの危険はないはずだが、コンタミはしばしば起こる。器具の先端が気づかぬうちに外部の空気に触れてしまっていたり、実験者の操作が雑だったりすると空気の流れに乱れが生じ、コンタミが発生してしまう。

抗生物質の発見者アレクサンダー・フレミングの時代――つまり二〇世紀初頭――クリーンベンチなどはまだなかった。だから彼は微生物の実験の途上、数限りないコンタミに遭遇したはずである。たとえば大腸菌のような細菌を水で希釈して寒天培地の上に塗布すると最初は何も見えない。細菌が分裂を繰り返し増殖してくると透明だった寒天培地の上にうっすら白い膜がかかったような〝曇り〟が発生する。この曇りが細菌そのものなのである。きれいに細菌だけが成育すると曇りはシャーレ一面に均質な広がりを示す。ところがもし、実験の最中にコンタミを起こしていると、この曇りの中に、点々と、赤や青、あるいは黒や灰色の糸くずのような別物が生えてくる。これらはカビである。カビは菌類の一種で、コンタミの典型的なもののひとつだ。カビは繊維状に菌糸を伸ばし旺盛に増殖する。胞子を作って拡散する。だから一度、カビにコンタミを許すと、もうそれをシャーレから駆除することは到底できない。シャーレの中はカビの無法地帯となり、実験は失敗する。そんなシャーレはただちに捨てるしかない。

フレミングにもしばしばそんなことがあっただろう。ただ、彼には、ある種のルーズさ（それはコンタミを起こしてしまったルーズさでもあったのだが）と、もうひとつ、準備された心（ザ・プリペアード・マインド）があった。視界からただちに消してしまいたいカビの生えたシャーレを捨てずにそのまましばらく放置していたのだ。そして、コンタミしたカビと、カビの周辺の細菌の様子をじっと観察したのである。均質な白い細菌の膜は、カビの発生した点を中心に、ちょうど野球のピッチャーズマウンドのように、ぽっかりときれいな円が開いているように見えたのだった。

コネクティング・ザ・ドッツとザ・プリペアード・マインド

準備された心（ザ・プリペアード・マインド）について語るとき、私はいつも、もう一人の偉人の名を頭に浮かべる。アップル社の創始者、スティーブ・ジョブズだ。

アップルといえば、今ではiPhoneやiPadに代表されるようなオシャレでスタイリッシュなイメージが広く受容され、新製品が発表されるたびにそれを待ち望む熱狂的なファンが行列を作るまでに支持されている。が、私の知っているアップルは、かつてはもう少し玄人《くろうと》好みのメーカーだったように思う。

一九八〇年代の終わり、私は研究修業のためにアメリカに渡った。当時、日本ではコンピュータといえばNECのPC98シリーズが主流派を占めていたが、アメリカの大学では、無骨なIBMのAT機がどの研究室にも並んでいた。

まだウインドウズも、インターネットも、グーグルもなかった時代のことである。PCはもっぱらMS－DOSで動き、データ解析とか文書作成とかの限られた用途に、それぞれ孤立して使われていた。

ところがある研究室を覗《のぞ》くと、そこには見慣れぬかたちのコンピュータが置かれていた。それがアップルのマッキントッシュだった。今思えば、それはSEかSE／30（という機種）だったように思う。側面のスイッチを押すとジャーンと音がして起動する（これは今も一緒）。画面には笑顔マークが現れる。アイコンのデザインがどれも秀逸だった。ファイル、ゴミ箱、不調なときに出現する爆弾マーク。

でも一番驚いたのは、画面に現れる文字が目も覚めるほどくっきり太く美しかったことだった。ＰＣ98でもＩＢＭ機でもモニターの文字はギザギザでチカチカする貧相なものだったので、マックの文字の鮮やかさに一瞬でノックアウトされた。こんなに気持ちのよい画面があるなんて。

マック・フォントの秘密を知ったのはずっとあとのことである。

スティーブ・ジョブズは二〇〇五年、西海岸の名門スタンフォード大学の卒業式でスピーチを行った。このときジョブズはすでに膵臓《すいぞう》がんに侵され手術を受けたあとだった。スピーチは"Stay hungry. Stay foolish."という締めくくりの言葉（正確には『全地球カタログ』からの引用）で有名になったが、核心は実は前半部分にあった。

ジョブズ自身は、スタンフォード大学の卒業生ではなく、オレゴン州のリード大学という地方大学に一九七二年に入学した。が、まもなく、学業に意義を見出《みいだ》せず中退してしまった。しかしそのまま大学町にとどまり、無為な生活を送っていた。

ある日、キャンパスをぶらつき、ふと教室を覗いてみたところ、そこでカリグラフィーのコースが行われていた。カリグラフィーとは、日本でいえば書道。ギリシャ・ローマ時代の昔から、西欧世界ではいかに美しい書体で文字を書き記すかについて、膨大な伝統と歴史の蓄積があった。それは大きな文化的、芸術的潮流となっていた。興味を持ったジョブズは、もぐりで聴講することにした。

それから何年も経《た》ってから、ジョブズは、機械オタクだったもう一人のスティーブ（・ウォズニアック）とともにアップル社を立ち上げることになる。その際、ジョブズが徹底的にこだわったことがあった。コンピュータの画面上に現れるフォントの美しさについてだった。滑らかな線、文字の配置、くっきり太く美しいフォント。ジョブズは、視覚的な鮮やかさがどれほど人間の認識に効果をもたらすか、カリグラフィーの講義のことを思い出していたのだ。

ジョブズはスピーチでこれを、コネクティング・ザ・ドッツと表現している。あるドットと別のドットがつながること。点と点がどのようなとき、どのようにつながるのか、事前にそれを見通すことは決してできない。レトロスペクティブに、つまりあとになってから初めて、それが意外な線で結ばれることがわかる。それが大きな達成、意外な発見をもたらすことになる。

ジョブズはこの体験談を話すことによって、これから社会に巣立つ卒業生たちを鼓舞した。君たちは、直感、運命、人生、カルマ、その他なんでもいいから、いつか点と点がつながることを信じて進む以外にないんだ、と。すばらしい。スピーチが終わると、会場は万雷の拍手とスタンディングオベーションに包まれた（YouTubeで見ることができる）。

私はジョブズのスピーチを聞いて、もうひとつの名言を思い出していた。それがパスツールが語ったとされる“Chance favors the prepared mind.”だ。

どのドットとどのドットがいかに結びつくか、それはわからない。しかし一見、無関係に見えるある点とある点のあいだに線を引くことができるのは、そこに準備された心があるからなのだ。

第10章
微生物の狩人

不変のパラダイムとその転換

私の愛読書のひとつに『微生物の狩人　上下』（ポール・ド・クライフ著、秋元寿恵夫《すえお》訳、岩波文庫）という古い本がある。ド・クライフは奇《く》しくも、私の留学先である米国のロックフェラー大学で研究をしていた。その後、研究者から作家に転じた人である。どのような経緯で自分のキャリアを変えたのか。興味深いところだが、なにぶん昔のことなので詳しいことはわからない。

シンクレア・ルイスは米国人として初めてノーベル文学賞を受賞した作家である。彼の作品に、『ドクター アロースミス』という風刺小説がある。志に燃える主人公の青年アロースミスは医学を目指し勉強に励む。しかし彼の前に立ち現れる現実は厳しい。スノビッシュで奇矯《ききょう》な大学人たち。拝金主義。アロースミス自身も四苦八苦の生活が続くが、ペストの研究に情熱を注ぐ。しかし彼の心はむなしい。この小説の背景になっている医学界の赤裸々な内幕は、ド・クライフによって情報提供されたという。『ドクター アロースミス』は、ピューリッツァー賞に選出されるが、なぜかシンクレアはその受賞を辞退する。

ド・クライフの転身もこのような諸事情と何か関連があるのかもしれない。

さて『微生物の狩人』は、研究者列伝のかたちをとった、病原体の発見と医学の進歩の文化史を活写した名著である。日本語版は翻訳の文体が硬く、やや古いのだが、物語自体はたいへん面白い。結晶の生成過程から研究に入ったフランスのルイ・パスツールはやがて、物質の腐敗が単なる化学反応ではなく、微生物による生物現象であることを突き止める。そのうえで、微生物がさまざまな病気の原因となっていることを発見する。つまり微生物は危険だということを初めて世に知らしめた。ドイツの医師ロベルト・コッホは、病気の原因として炭疽《たんそ》菌、結核菌、コレラ菌などを次々と発見、近代細菌学を確立した。感染症の病原体を確定するための基本指針「コッホの三原則」を打ち立てたことでも有名である。コッホの三原則とは、1、その微生物が必ず病巣から検出されなければならない。2、その微生物を病巣から分離し、純粋培養したものを健康な動物に接種したとき、同じ病気が起こらなければならない。3、その病巣から増殖した同じ微生物が検出されなければならない。というものである（細部の表現などに何通りかのバージョンがある）。

これは現在の科学においても十分有効な原則である。たとえば仮に病気になったヒト

（あるいは動物）の病巣や排泄物《はいせつ》から、ある特殊な細菌が検出されたとしても、それがただちに病気の原因と言い切ることはできない。これは相関関係と因果関係の問題である。連続放火事件が起こった。いずれの火事現場でも、ある人物Aが目撃された。火事とAとのあいだには何か怪しい関係がありそうだ。しかし、これだけではAが放火犯だと断定することは到底できない。Aは単に物見高い野次馬かもしれないのだ。

同じことが細菌と病気の関係にもいえる。病巣からいつも細菌Xが検出されるからといって、その病気が細菌Xによってもたらされているとは限らない。病気になったことによって弱った身体《からだ》に取りつき日和見《ひよりみ》感染を起こす細菌かもしれない。つまり原因ではなく、病気の結果として出現している現象かもしれない。あるいは、たまたまそのような状態で検出されやすい常在的な細菌かもしれない。

だからこそコッホの三原則の第2、第3の条件が必要となるのだ。つまり犯人と思われる細菌を分離し、他の細菌や物質が混じることのない純粋なサンプルに精製した後、それを実験的に投与すると発症が起こることを確かめなければ因果関係を立証したことにはならない。放火の現場を押さえなければならないのである。そのうえで、コッホはさらにその細菌が増殖することで病気をもたらすこと、つまり原則1がもう一度確認されることを原則3で条件として要求している。完璧《かんぺき》である。

パスツールやコッホによって幕が切って落とされた二〇世紀の病原微生物学はまさに、コッホの三原則を適用することによって快進撃を遂げてきたといっても過言ではない。ド・クライフの本は主に、細菌の発見史をたどっているが、よりミクロな病原体、ウイルスの登場によっても状況は基本的に同じだった。見えない敵の存在を特定し、それを捕まえ、病気を再現できること。こうして非常に捉えどころのない謎の病原体が次々と発見されていった。たとえば肝炎ウイルス。このうちC型肝炎ウイルスの発見には二〇年近い年月が費やされた。また、奇病として恐れられたエイズの原因ウイルスＨＩＶの発見史にも競争と暗闘が隠されている。狂牛病やヤコブ病の病原体と考えられるプリオンについてもロジックの構造は同じである。ただしプリオン説のように、なお完全にコッホの三原則が満たされているわけではない病気と病原体の関係もある。病原体を分離培養したり、純化することが困難なケースも多いのだ。しかし基本的に、病原体の存在が病気をもたらすというパラダイム自体は不変だった。それがここへ来て大きな転換を見せ始めている。

ある微生物の不在が、特定の病気をもたらすことがあるのだ。

腸内細菌を探る

世界的な科学論文誌『サイエンス』は毎年末、その年の一〇大科学ニュースを発表する。少し前になるが二〇一三年の科学ニュースとして、がんの免疫治療、遺伝子工学の新技術CRISPR《クリスパー》、脳内の可視化、再生医療、コンピュータによるワクチン設計など、さまざまな新機軸が並んでいた。

近年の科学のトレンドである、細胞操作や治療、創薬など、いわゆるテクノロジーへの志向性が一段と強まっている風潮がここにも如実に表れている。しかし科学とは本来、生命のあり方――つまり生きているとはいかなる（how）ことかという問題――をこそ解明すべきものだと私は思う。だから科学は医学のしもべでもなく、産業にシーズを提供することが義務でもない。

そんな中で、一〇大ニュースの中にあった、「あなたの微生物が、あなたの健康を支配する」という項目にことさら着目した。〝あなたの微生物〟とはいったいどういう意味だろう。それは、私たちの消化管内に棲息《せいそく》する腸内細菌のことである。

消化管は、身体の「内」にあるようでいて、実は「外」である。人間の身体はぐっと単純化すると、ちくわのようなもので（こういう概念化をトポロジー的思考というのだが）、消化管はちくわの穴。口と肛門《こうもん》で外界と通じていて、消化管の表面は皮膚が内側に入り込んだものにすぎない。だから消化管壁は、皮膚の延長線（実は面）であり、外界との最前線（面）にある。消化管の表面は細かいひだがリアス式海岸のように入り組んだ構造をしており、ここにびっしりと腸内細菌が棲《す》みついている。

もちろん昔から腸内に細菌が存在していることはわかっていたが、ほとんどの研究者はそれほど気に留めていなかった。腸内細菌は無害な寄生者――ヒトに重大な害を及ぼすことはなく、栄養の一部をかすめとっている便乗者――と見なされていたからだ。一方、その実態もよくわからなかった。人間の消化管内は酸素が少なく、そんな環境でも成育可能な嫌気性細菌は、外に出して酸素がある状態、好気的環境におくとたちまち死滅してしまう。だから実験的に培養することができず、どんな細菌がどれくらい存在するのか研究がなかなか進まなかったのである。

ところが近年、ゲノム解析の技術とゲノム情報の集積が飛躍的に進展した。ヒトの消化管内のDNA情報——ありていに言うとウンチに含まれるDNA——を分析すると、それは一昔前まではカオス以外の何ものでもなかった。まずは雑多な食品に由来するDNA。私たちは牛、豚、鳥の肉を食べ、いろんな魚を食べ、米、パン、ソバを食べ、野菜から果物から海藻までをも食べ、納豆やら漬け物を食べ、醬油《しょうゆ》や油で調理する。だからウンチには軽く見積もっても数十種の食品成分に由来するDNAの断片が混在している。

そのうえ、私たちの消化管の細胞が日々、剝離《はくり》して死に、新しい細胞と入れ替わる。消化管は人体組織のうち、もっとも細胞の新陳代謝速度が速い部位でもある。それほど消化管の表面は消耗が激しい。二、三日で細胞は交換される。だからウンチのDNAの大部分は、実は自分自身のゲノムの分解産物によってできていることになる。

そのうえで、腸内細菌のDNAが加わってくると、物質としてのDNAだけを見ていると、それがいったいどの生物のどんな細胞に由来しているものなのか、まったく判断がつかないのである。

ところが二一世紀になって、全ヒトゲノム情報が解読され、それがデータベース化されることになった。だからウンチのＤＮＡの中からヒトゲノムに由来する情報を差し引いて考えることができるようになった。

そして各種生物のゲノム情報もどんどん集積されるようになってきた。家畜や主要穀物、商品作物など、人間にとって有用な生物のゲノムは次々と解析されデータベース化されている。ゆえにウンチのＤＮＡから次に差し引くべきは、これら食品素材由来のＤＮＡ情報、ということになる。そうして残ったＤＮＡ情報。これが何を意味するかといえば、これこそが腸内細菌のＤＮＡだということになる。こうしていろいろなことがわかってきた。ヒトの消化管内にはおよそ一〇〇兆匹の腸内細菌が棲みついている。この数はヒト自身の細胞数約三七兆個をはるかに凌駕《りょうが》している。ヒトの細胞に比べて細菌の細胞はずっと小さいので、消化管のひだの中に隠れ棲むことができるのである。これまでに知られている腸内細菌の種類は、およそ一千種（諸説あり）。しかしランダムに雑多な菌がいるわけではない。このうち限られた系統の菌だけが選抜されてそれぞれの人に定着しているのである。

胎児がお母さんのお腹の中にいるとき、胎児の消化管内はクリーンで、腸内細菌はまだそこにはいない。誕生する際、そして誕生してから徐々に外部世界から細菌が入ってきて、身体との平衡点が探られる。また、腸内細菌同士のせめぎ合いも発生し、これもある時点でバランスがとられる。そして腸内細菌は環境と私たちの身体の境界＝インターフェイスに位置する調整役としての役割を果たすことになる。したがってバランスの乱れは私たちの健康に大きな影響を及ぼすことになるのである。

お母さんからのプレゼント

私たちのもっとも身近な隣人、腸内細菌について話を続けてみたい。お母さんのお腹の中にいる時期の胎児の消化管内はクリーンで、腸内細菌はまだ一匹も棲みついていない。生まれたあと徐々に細菌がやってきて町内ならぬ〝腸内〟にコロニーを作っていく。細菌はどこからくるのだろうか。正確に言えば、細菌は赤ちゃんが生まれた「あと」初めてやってくるのではなく、生まれる「最中」からやってくる。赤ちゃんは子宮から押し出され、そのかわいらしい、しかし大きな脳を持つ頭部を狭い産道にこすりつけながら、やっとの思いで外に出てくる。まさに生まれ出《い》ずる苦しみだが、このとき、赤ちゃんは好むと好まざるとにかかわらず、産道（すなわち膣《ちつ》）の壁に口や鼻をぴったりと押し付けることになる。膣の壁は外界に直接通じており、そこはある意味で雑菌がうようよ棲みついている。赤ちゃんはこれらを無理矢理なめとらされる。赤ちゃんはお母さん以外の生命体に初めて出会うことになる。これが腸内細菌の最初の候補者となる。

ちょっと聞いただけではなんともワイルドな話に思えるが、これは実はとても大切なプロセスなのである。

今、私は膣の中の雑菌と書いたが、ほんとうはここに棲息している菌は、雑多な菌がランダムに居候しているわけではなく、環境と生体とのあいだのせめぎ合いとバランスによって選抜された細菌のコロニーが形成されている。細菌たちは膣内に悪い細菌が繁茂しないよう、身体を守ってくれているのである。

その主たるものは腸内細菌と同じく、乳酸菌とビフィズス菌である。しかも膣内の細菌コロニーは動的に変化している。妊娠後期に入ると、膣の分泌液の成分が変化し、グリコーゲンのような糖分の濃度が増加してくる。グリコーゲンは乳酸菌やビフィズス菌の大好物で、グリコーゲンが増えると乳酸菌やビフィズス菌の数も増える。乳酸菌はその名のとおり、増殖に伴って代謝産物として乳酸をたくさん生産する。乳酸は周辺の環境を酸性化する。乳酸菌やビフィズス菌は酸性環境でも平気だが、他の一般的な細菌は酸性が苦手である。だから妊娠後期、乳酸菌やビフィズス菌が増勢することは、膣に病原菌が侵入してくるのを防ぐ働きがある。母体はグリコーゲンを分泌することによって積極的に乳酸菌やビフィズス菌を支援しているのだ。

そしてこの乳酸菌とビフィズス菌が、そのまま赤ちゃんの腸内細菌として移植される。つまりこれは赤ちゃんがすばやく環境に順応するための、お母さんからの大事なプレゼントということになる。

ここで自然に浮かんでくる疑問は、帝王切開の問題である。

帝王切開によって取り出された赤ちゃんは、産道を通って乳酸菌やビフィズス菌を受け取るプロセスを経ないで生まれてくることになる。

とはいえ、帝王切開によって生まれてきた赤ちゃんたちの消化管内は無菌となるわけではない。ある調査によれば、正常分娩《ぶんべん》で生まれた赤ちゃんが母親の産道で細菌をもらっているのに対して、帝王切開で生まれてきた赤ちゃんたちの消化管内に定着していたのは、彼らを取りあげた病院の医師や看護師といった医療関係者の指や手のひらについていた皮膚常在細菌だったという。これは赤ちゃんが本来、獲得する腸内細菌ではない。この差はどのようなことをもたらすのだろうか。

ひとつは、もともと親がアレルギー体質である場合、帝王切開によって生まれた子どものほうが、正常分娩で生まれた子どもに比べ、アレルギー疾患のリスクが高まるというデータがある。乳酸菌やビフィズス菌のような善玉菌によって腸内細菌のコロニーが優勢な状態になっていることが、免疫系を安定させ、過剰な反応、すなわちアレルギーを起こしにくくしている、ということがいえる。ただし、このデータはあくまで、もともと親にアレルギーがあるケースで、親がアレルギー体質でない場合には帝王切開によるリスクの上昇は観察されなかった。そしてたとえ帝王切開で生まれた場合でも、その後の環境とのやりとりによって徐々に腸内細菌として乳酸菌やビフィズス菌が増勢してくる。正常分娩の場合、その適応がお母さんからのプレゼントによって、より早いヘッドスタートを切ることができる、ということである。

現在、先進国では帝王切開によって生まれる赤ちゃんの比率がどんどん増加している。

米国では三人に一人が帝王切開で生まれている。これは注意が必要なほど高い率であり、進化が編み出した自然の仕組みから逸脱している。研究者のあいだでは、帝王切開で生まれた赤ちゃんに膣分泌液を与えればよいというアイデアまで提案されているらしい。

上の子ども、下の子ども

私は、膵臓や消化管の生理学を研究してきたので、人間の栄養学についてもいろいろと学んだ。その中でクワシオコア（kwashiorkor、クワシオルコルと表記されている場合もある）という名の病気を知った。この不思議な名称は、アフリカのガーナ沿岸部の土地の言葉で、「上の子ども、下の子ども」という意味だという。子だくさんの地域では、下の子どもができると上の子どもが強制的に乳離れを余儀なくされ、そうしたときに乳離れさせられた子どもに発生する一種の栄養失調としてクワシオコアがある。この病名は、この病気を初めて学術論文に記載した小児科医シシリー・ウィリアムズによって知られるようになった。クワシオコアは栄養状態がよくないアフリカの飢餓地域に多発していた。

もっとも典型的な症状は、手足ががりがりにやせているにもかかわらず、お腹がぽっこりと膨満して見えることだ。読者も報道写真や飢餓救済キャンペーンのポスターでこのような子どもたちを見たことがあるかもしれない。お母さんの母乳をもらえず、離乳食はおろか満足に食べるものがない状態で、どうしてお腹が出てくるのだろうか。

　ここにこの病気の問題点がある。お腹がふくれている子どもたちは一見、深刻な栄養不足に陥っているようには見えないのだ。親たちも子どもは栄養が足りていると誤認してしまうのだ。このような地域では主要な穀物としてキャッサバが多用される。キャッサバはイモ（タピオカイモ）の一種で、やせた土地でも簡単に育てることができる。ただし生のキャッサバには青酸化合物が含まれており、これを直接食べると中毒が起こる。そこで伝統的にさまざまな方法で「毒抜き」がなされてきた。一番簡単な方法は水にさらすことだ。イモを蒸《ふ》かしたあと、小さく切って水で洗うことによって青酸化合物は溶けて出ていく。あるいはすりつぶして一晩ほど放置しておくとキャッサバ内部の酵素の作用によって青酸化合物が解毒される。発酵によって解毒する方法もあり、これらは各地の伝統的なキャッサバ調理方法として根づいている。

　キャッサバはイモなので、優良な炭水化物（糖質）であり、身近なカロリー源となる。

だからこれさえ食べればとりあえず空腹がいやされる。母親も子どもにキャッサバさえ与えていれば十分栄養は足りていると思ってしまう。

ところが離乳直後の子どもたちにとっては深刻な問題が生じるのだ。タンパク質の欠乏である。授乳中は、母乳にバランスよく含まれる糖質とタンパク質によって栄養は充足する。ところが離乳直後、幼い子どもは自力でタンパク質源（肉や魚）を得ることは難しい。母親はキャッサバを与えるが、キャッサバは炭水化物源であっても、タンパク質源ではない。だから子どもたちはカロリーは足りていても、タンパク質が足りないという状況に陥ってしまうことがあるのだ。このアンバランスがクワシオコアをもたらす。

私たちの身体は、絶え間ない分解と合成の流れの中にいる。私はこれを「動的平衡」と呼んでいるが、動的平衡の主役は身体のタンパク質である。私たちを構成するタンパク質は絶えず分解され、捨てられ、一方で新しく合成される。新しく合成されるためには絶え間のない供給が必要であり、それが肉や魚を食べ続けなければならない理由なのだ（もちろん豆類など良質の植物性タンパク質源を摂取すれば、必ずしも動物性タンパク質を摂取する必要はない）。タンパク質は身体にためることはできない。それゆえ毎日食品として摂取しなければばならない。タンパク質が欠乏すると体内のタンパク質がどんどん分解される一方となってたちまち変調を来す。クワシオコアもこのような危機的な状態なのである。

それにもかかわらず、なぜクワシオコアではお腹がふくれてくるのだろうか。その要因のひとつは肝臓の肥大である。皮肉なことに、肝臓があたかも豪華な料理を飽食したときのように脂肪肝の状態になってしまうのである。これは炭水化物とタンパク質のアンバランスに起因する。カロリーだけが過剰に摂取されると肝臓はそれを脂肪に変えて蓄積しようとする。一方、健全な動的平衡状態の中では、肝臓に蓄えられた脂肪は血液に乗って絶え間なく全身に供給される。このとき脂肪を運ぶ輸送体の役割を果たすのが、リポタンパク質というものだ。血液検査をするとＬＤＬとかＨＤＬといった検査項目があるが、それがこの脂肪輸送タンパク質の値である。飽食すると高くなるので要注意なのだが、クワシオコアではタンパク質欠乏によって低下してしまう。すると肝臓から脂肪を運び出すことができなくなってしまうのだ。これが肝臓肥大の原因となる。

さて、このクワシオコア、単にカロリー過多、タンパク質欠乏という単純な図式だけでは説明できないことがわかってきた。腸内細菌が重要な役割を果たしていることがわかってきたのだ。

クワシオコアと腸内細菌

研究者たちは、アフリカの一卵性双生児に着目した。同じ遺伝子を持ち、同じ環境に育ち、同じ栄養状態にあるのに、一方は健康、他方はクワシオコワを発症していた。いったい何が違うのだろうか。研究者は腸内細菌に差があることを見つけた。発症した子どもの腸内細菌は十分繁茂していなかったのである。

外的な環境が同じでも、内的環境、つまり消化管内の状況が異なっていたのだ。腸内細菌がちゃんとしていれば、たとえ貧しい食材であっても、それを代謝し、栄養素に変えて宿主を助けてくれるのだ。

人間がタンパク質を食べなければならないのは、タンパク質の構成要素であるアミノ酸を自前で作り出すだけの代謝能力・合成能力を持っていないからである。ヒトの身体に必要な二〇種類のアミノ酸の中には、自分の体内で作れるアミノ酸もあるが、必須アミノ酸と呼ばれるフェニルアラニン、ロイシン、バリン、イソロイシン、スレオニン、ヒスチジン、トリプトファン、リジン、メチオニンは作ることができない（これは生物学や栄養学を学ぶうえで必須の暗記事項なので、私たちは「風呂場椅子、ひとりじめ」という語呂合わせで覚えた）。だからこれは食品として摂取するしかない。

腸内細菌のような微生物は、単純な資材（たとえば炭水化物といった糖質と窒素源であるアンモニア）からすべてのアミノ酸を全部自前で作り出す万能の合成能力を持っている。炭水化物は炭素と水素と酸素からできているので、窒素を含むアミノ酸を作り出すには必ず窒素源となる物質が必要となる。人間は、たとえこれら資材がそろっていたとしても、化学反応を起こすための酵素を持っていないので、必須アミノ酸を作り出せないのである。

どうしてこんなに大事な能力を、人間は進化の途上で失ってしまったのか。これはこれでとても興味深い生物学上の謎なのだが、考察は長くなるので詳しくはまた別の機会に述べてみたい（ちょっとだけサワリを言えば、あえて外部に必須アミノ酸を求めなければならないという課題を持つことで、積極的に動くことを強いられた生物が、〝動物〟へと進化することになった……）。

人間は、栄養価の高い食物を確保することによって、必須アミノ酸を安定して得ることに成功したが、一方で、微生物との共生関係を維持することによっても生存率を高めた。

それが腸内細菌だ。

栄養の面で、腸内細菌の寄与はどの程度あるのだろうか。これを調べるためには、逆の状況、腸内細菌がいない状態を実験的に作り出してみればよい。もちろん人間では実験できないので、マウスが用いられた。母胎内にいる仔《こ》マウスの消化管にはまだ腸内細菌は棲息していない。産道を通過し、母乳を飲み、外的環境にさらされることで、徐々に腸内細菌のコロニーが形成されていく。

そこで帝王切開で仔マウスを取り出し、無菌的なドーム環境で、殺菌済みの餌《えさ》だけを与えることによって、腸内細菌フリーのマウスを育ててみた（フリーは、「ない」という意味）。するとマウスは腸内細菌がいなくても生きていくことはできた。

しかしさまざまな異常が見られたのである。腸の成長に奇形が見られた。盲腸が肥大し、腸の表面積は三〇パーセントあまり少ない。心臓、肺、肝臓も萎縮していた。通常、腸内細菌の代謝活動によって供給されるビタミンB群、ビタミンKを必ず補ってやらねばならなかっただけでなく、無菌マウスは生きていくために、普通のマウスよりも常に三〇パーセント多くカロリー摂取を必要としていた。

つまりこの実験結果の解釈はこうなる。腸内細菌は宿主が摂取した食物をかすめとるが、それ以上に宿主に対して貢献している。宿主が利用できない繊維分などを代謝して栄養に変え、それを宿主に戻す。宿主が合成できないビタミンやアミノ酸を供給する。これら腸内細菌の寄与がなくなってしまうと、宿主はその分、よけいにカロリーや栄養素を摂取しなければならなくなる。

おそらく先に挙げた双子の例もそうなのだ。ちょっとした微妙な差――それはお母さんの産道を通過する順番や母乳で育った期間のわずかな長短、食べたものの内容の違い――によって消化管内の腸内細菌コロニーの形成に差が出てしまった。それが、その後、遭遇した栄養不足・アンバランス環境におけるサバイバルに差をもたらしてしまったのだ。

第11章

動的平衡からコロナウイルス禍を捉え直す

RとL

人間の脳の思考原理があくまで、設計ありきで組み立てていくという意味で「設計的」であるのに対し、生命本来の構築原理はどこまでも、まず発生させてから対応するという意味で「発生的」である。この二つの原理の相克《そうこく》が、時として、私たちを混乱させ、あるいは錯誤に陥らせる。このことを論じるには——読者は奇妙に感じるかもしれないが——まずちょっとした身近な例から話を始めてみたい。

日本語話者は、英語のRとLの聞き分け・発音がからきし苦手である。学会発表や論文執筆など、英語を使って仕事をすることが多い私も、いまだに、rock（岩）とlock（錠）、royal（王族の）とloyal（忠実な・誠実な）など、ちゃんと聞き取れない。自分でしゃべるときも、RとLの口の動きを特別に強調しないとうまく伝わらない（たぶんそれでもちゃんとは伝わっておらず、この人のRはこういう音、Lはこういう音、という努力だけが伝わっている）。

英語ネイティブの話者ならそれこそ幼い子どもですら、実に上手に、RとLを使いこなす。word（言葉）とworld（世界）など、うらやましくなるくらいきれいに発音し分ける。

最近のスマートフォンは、音声入力を文字として認識してくれる機能があるから、英語モードにして自分の発音を試してみるとよい。ここに挙げた単語、wordとworldなどが、一発で認識されれば、あなたの発音はかなりよいことになる。が、この文章を読んでいる大半の方（つまり日本語ネイティブ話者）は、相当に苦労することになるはずだ。

今、私は、幼い子どもですら、と書いた。この表現、ほんとうは訂正を要する。幼い子どもこそ、RとLの聞き分け・発音し分けが得意なのである。それは何も、英語ネイティブとして生まれたからではない。日本語ネイティブとして生まれても、赤ちゃんのときは、RとLを聞き分けることができる。それどころか、世界のあらゆる言語のあらゆる発音の違いを聞き分けることができる。

それが、日本語環境で育つうちに、「らりるれろ」の発音さえ区別できれば、RとLの差異を必要としない日本語に慣れていき、やがてRとLがまったく区別できなくなってしまうのである。つまり、RとLを聞き分ける能力を自ら刈り取ってしまっているのだ。

しかし、これこそが生物として発達する、ということに他ならない。つまり、生命は最初に〝過剰〟を用意し、環境がそれを〝彫琢《ちょうたく》〟する（刻み磨く）、という原則である。

子どもの言い間違い

このことを私は最近、『音声学者、娘とことばの不思議に飛び込む　～プリチュワからカピチュウ、おっけーぐるぐるまで～』（川原繁人《かわはらしげと》著、朝日出版社）という本を読んで再認識した。幼児を使って実験を行うと、彼ら彼女らがRとLを確かに聞き分けていることがわかるのだが、この本の著者は（自身も妻も音声言語学者）、実際に子どもを持つ親として、自分の子どもの言葉の発達のあれこれを詳細に記録した。

幼稚園の「ゆきぐみ」に通う娘は、「あたしの『ぐみ』ではねー」と話す。あるいは、「いっぴき」「にぴき」「さんぴき」と数える。子どもの言い間違いはかわいい。大人はこういうのを聞くと、すぐに「ぐみじゃなくて、くみ」、「にぴきじゃなくて、にひき」と直してしまいがちだが、著者らは、あえてそのまま観察し、むしろ大事に保護する方針をとった。また、言い間違いをちゃんと音声データとして録音・保存した。電子版の本書のリンクをクリックすると実際にそれを聴くことができる。

なぜ著者は言い間違いを放置したのか。それは、人間の言語習得プロセスを研究する絶好の機会となるからだ。

子どもは、よく聞けていないから、あるいは、発声が未熟だから言い間違えるのではない。彼らは言語習得の天才であって、あらゆる音に耳をすませ、あらゆる音の差異が聞き取れている。そして、その中からすばやく法則性を抽出しようとしているのだ。その証拠に、言い間違いを正しても、すぐに同じ間違いを繰り返す。そこには彼らなりのロジックがあり、その一貫性を守ろうとしている。

動物の数を数えるとき、一、二、三のあとに同一の数詞（ぴき）をつけるほうが論理的である。いっぴき、にひき、さんびき、と変化するほうが恣意《しい》的で、複雑に思える（これは日本語の面白いところで、日本語の学習者はこういうところでつまずく。どうしてこのように変化するのかは、音韻論の観点から説明できるのだが、それはまた別の話）。

日本語環境の中で育つ子どもたちは、すぐにこの変則的な変化にも順応していく。これもまた、過剰と彫琢というプロセスの好例である。このことをシナプス形成の点から考えてみたい。

過剰と彫琢その一：脳のシナプス形成原理

人間の脳は、神経細胞（ニューロン）とその連結（シナプス）によって形成される回路網からなっている。この回路に電気信号が通ることによって、思考や行為、記憶保持がなされる。

回路網は、DNA上に書かれた設計図をもとに、自動的に敷設されるわけではない。そもそもDNA上にあるのは回路の設計図ではなく、回路の材料、つまりニューロンやシナプスを作るための資材（つまりタンパク質）の情報である。

人間が、コンピュータや携帯電話を作るとき、そこにはまず設計図があり、それにもとづいて回路網が構築される。あるいは、地下鉄や列車を走らせる場合にも、まず路線図があり、それに基づいて線路が敷設される。つまり、人間が作るあらゆる構造物は「設計的」に作られる。なるべく無駄な資材や労力を費やすことなく、効率よく、予定されたプロセスが進行する。これが設計的な構築であり、もっとも合理的な作業工程である。

ところが、脳内ニューロンとシナプスによる神経回路網にはあらかじめ決められた設計図はない。いや、より正確に言えば、大枠の敷設プランはある。網膜で得た信号は視神経を通じて視覚野（視覚を統合する脳の後ろ側に位置する神経細胞群）に送られる。嗅覚《きゅうかく》は嗅球へ、味覚は味覚野へ。そのような基幹構造についての基本プランはあらかじめ発生の過程で、細胞間の相互作用によって大まかな路線図が構築されていく。

しかし、それぞれのニューロンがいくつの神経突起を張り出し、どの隣接ニューロンと、どのようにシナプス連結を形成するかについては、設計図も指令表もない。

では生命体は何をするのか？　ただ、過剰さを準備するのである。胎生期（お腹の中にいる期間）から始まって、出生後しばらくのあいだ、神経細胞同士は、さかんに連合して積極的にシナプス結合を形成する。つまり過剰なネットワークを作って待ち構える。

何を？　環境からの入力を、待ち構える。赤ちゃんは自分が生まれ出る環境がどんなものなのか、あらかじめ知ることはできない。だから、過剰さを準備して備える。Rの音も、Lの音も聞き分けられる。複雑な言語構造も——それが何語であったとしても——その中から法則を見出《みいだ》し、経験則を学び、たちまち対応できるようになる。

そのための〝待ち〟の広さとして、シナプスの過剰性を準備する。かくしてどんな風土に生まれても適応し、いかなる言語でもしゃべれるようになる。

その後、よく使われるシナプス連結は保存され、あまり使われなかったシナプスは弱まる。あるいは消える。つまり過剰さは環境から彫琢を受ける。これが絶えず反復され、変化し続ける。ときには必要に応じて新たなシナプス連合と回路が形成される。こうして、ヒトはピアノが巧みに弾けるようになったり、将棋で何手先までも読めるようになったり、アクロバティックな器械体操ができるようになったりする。

一方で、できたかもしれないことが、やがてできないものになっていく。RとLが、聞き分けられなくなる。必要なものは強化され、不要なものは刈り取られる。つまり彫琢が進む。およそ一〇歳までに脳のシナプス連結の数は、誕生直後に比べ半減してしまう。その後、脳は完成されていくとともに、かつての柔軟さ、可塑《かそ》性を失っていく。

過剰に準備して、環境に刈り取らせる。これが「発生的」な原理の謂《いい》である。無作為に大きな過剰を作り出すことは一見、無駄に思える。コストもかかる。しかし生命はあえてそうしている。無作為は作為に勝るからだ。過剰さは効率を凌駕《りょうが》する。つまり「設計的」な原理よりも、「発生的」な原理のほうが、未知の環境に対する構築方法としては勝っているのである。

過剰と彫琢その二：免疫的多様性の獲得原理

環境から波及する〝想定外〟の事態に対して、いかに備えておくのが最適だろうか。生まれたあと、私たち生命体は、あらゆる外敵にさらされる。病原細菌、新奇のウイルス、寄生虫、ハチやヘビの毒素、あるいは化学物質……、ここでも——言語環境と同じように——いかなる遭遇があるか、あらかじめ設計図を書いておくことは不可能である。

そこで、私たちの身体《からだ》を守る免疫システムは、ニューロンのシステムとまったく同じ方法を選んだ。過剰と彫琢である。免疫システムの中核を担う抗体産生細胞（これをB細胞という）は、それぞれ固有の抗体を作り出す。抗体とは、侵入者、すなわち、ウイルスなどの外来物（これを抗原と呼ぶ）と戦うための〝飛び道具〟である。抗体は抗原に接着してその働きを阻止する。

過去の免疫学では、侵入してきたウイルスの表面構造を、B細胞が何らかの方法でスキャンして、それに合致するように抗体を作っているのだ、と考えられていた。つまり、抗体はその目的に応じて「設計的」に構築されると。確かに、そのほうが、一見合理的ではある。しかし、それでは泥棒に入られてから縄をなうようなもの、いわゆる泥縄である。つまり、侵入者への反撃としては時間にロスが生じる。

さらに、その後、タンパク質科学の進展によって、〝ある抗原（この場合、ウイルス）に対して、それに合致するような抗体を臨機応変に作り出す〟ということは、細胞の仕組みとして不可能であることが判明した。抗体のようなタンパク質はすべて、あらかじめDNAにその構造情報が記入されているものしか作り出すことができない。

そこで、免疫システムはまったく別の戦略をとった。B細胞ごとに、千差万別の抗体が、ランダムに準備されている。その数は一〇〇万通りとも、それ以上とも考えられている。つまり、まず過剰さが先に生み出される。

このうちのどれかが、侵入してきたウイルス表面の立体構造と合致すると、その抗体を産生するB細胞がすばやく自己増殖して、抗体を大量生産する。この抗体が、ウイルスと結合することによって、ウイルスの動きを止める。ウイルスの増殖が早いか、B細胞の増殖が早いか。このせめぎ合いが、風邪《かぜ》のひき始めの悪寒、発熱、だるさ、痛みなどの正体である。

ここに、もうひとつ極めて興味深い現象がある。免疫学的記憶である。ある抗原（たとえばウイルスやその一部のタンパク質）と戦ったことのあるB細胞は、その〝記憶〟を保持することができる。

ある抗体を産生するB細胞は、もともと一個の細胞だったが、戦いの経験とは、つまり増殖の経験である。そのB細胞は、ウイルスと戦うため、一挙に、数千個、数万個、あるいはそれ以上に増殖し、抗体を産生する。

ウイルスとの戦いに勝利し、ウイルスの増殖が阻止され、身体が回復に向かうと、このB細胞の集団は縮小される。しかし、もとの一個にまでは戻らない。数百個あるいは数千個程度の細胞〝小隊〟として身体中に温存される。これが免疫学的記憶である。

次にもし、同じウイルスが侵入してきたとしても、細胞〝小隊〟があるので、そこからすばやく対応が開始でき、ウイルスをたちまち制圧できる。ワクチンの効果とはまさにこの記憶を人為的に植え付けるということだ。あるいは、一度かかった病気には二度とかからない（かかりにくくなる）というのも、このB細胞〝小隊〟が備えているからである。

これは、ニューロンのシナプス連結が、使う回路ほど強化されることと驚くほど似ている。まず過剰さが与えられ、環境がそれを彫琢する。免疫システムでも、まずB細胞の多様性、つまり抗体の多様性が準備され、その中で、活躍した抗体が保存される。それゆえに、ウイルスや細菌との遭遇は、免疫システムに対する環境からの彫琢だと考えることができる。

そして、さらに時間軸を伸ばして考えると、感染症と、感染される側である宿主とのせめぎ合いは、免疫システムの強化と進化を促すものと捉えることができる。

過剰さと彫琢ということに関して言えば、もうひとつ、とても興味深いことが胎児の免疫システムの内部で生じている。

　先に、私は、抗体の多様性は、外敵が侵入してきたあと、「設計的」に構築されるのではなく、事前に、ランダムに準備されているものだ、と述べた。

　この準備は、私たちがまだ胎児として母胎の中にいるときに進行する。胎児は、まだ外の環境のことを何も知らない。これからどんな言語環境と出会うのか知らないのと同様に、いかなる外敵と、いつ出会うのか、予想することができない。

　それゆえに、可能な限り、多様性に富んだ抗体のレパートリーを作り出し、その中のどれかが、侵入してきたウイルスのどこかに、接着できるよう、ランダムな過剰さを生み出しておく。

　抗体のレパートリーは、先に書いたように、少なくとも一〇〇万通り。微小なアミノ酸の変化を含めると、さらにレパートリーの数は増える（タンパク質はアミノ酸の連鎖によって構築される。その配列が遺伝子ＤＮＡに書き込まれている）。それくらいの規模の過剰さを用意しておかないと、外敵の多様性に対処できないのだ。

ここに、免疫学上、最大のミステリーが立ち上がった。一〇〇万通りの抗体のレパートリーがあるということは、一〇〇万通りのDNAのレパートリーがあるということである。抗体（タンパク質）は、勝手に設計することはできず、常に、DNA情報に基づいてしか、細胞は構築することができない。

しかし、通常、一セットの遺伝子DNA（これをゲノムという）に書き込まれているタンパク質情報というのは二万種程度である。これが細胞の内部で使われるタンパク質部品の総数なのだ。抗体を作り出すB細胞も、たったひとつの受精卵から由来した細胞だから、この制約から自由になることはない。

それなのに、なぜ、B細胞は、一〇〇万通りもの抗体のレパートリーを生み出すことができるのだろうか。B細胞は、細胞ごとにDNAが変化して、異なった抗体用のDNAを作り出すような仕組みがあるとしか考えられない。

しかし、従来の生物学の常識では、DNAが再編成されることなどありえないとされていた。DNAは、細胞の遺伝情報を安置した究極の記憶装置であり、安定的なものだ。そのために、二重らせん構造というフェイル・セーフ機構（誤作動が起こることを前提に設計し、誤作動が起こっても安全を保つように設計されたシステム）を有している。偶発的、局所的な、突然変異はあるものの、積極的に、動的な変化を起こすことはないはずだ……。

この常識を覆したのが、日本人科学者として初の、しかも単独のノーベル医学・生理学賞（一九八七年）を受賞した利《と》根《ね》川《がわ》進《すすむ》だった。彼は若くして日本の旧態依然としたアカデミズムを飛び出して、米国そしてスイスで、独自の研究を進めていた。

そして、Ｂ細胞の抗体ＤＮＡにおいては、積極的な遺伝子再編成が起きており、それが、抗体の多様性を生み出していることを突き止めたのである。

それは、図式化すればこんなメカニズムだった。

抗体タンパク質のアミノ酸配列を決定するＤＮＡは、数個のブロックに分断されている。Ａブロック、Ｂブロック、Ｃブロック、Ｄブロック……という具合に。これが連結して抗体遺伝子となる（ここではA＋B＋C＋Dと表す）。

重要なポイントは、各ブロックのアミノ酸配列を決定する遺伝子が複数用意されている、ということだ。Ａブロックには、Ａ1、Ａ2、Ａ3……。Ｂブロックには、これまたＢ1、

B2、B3……、その種類は数十以上に及ぶ（今、仮にA1〜A40、B1〜B40、というふうに四〇種類ずつが用意されているとする）。

B細胞ごとに、ランダムに、この抗体遺伝子のブロックの再編成が生じる。つまり、あるB細胞では、A1＋B23＋C17＋D35のように。すると、その順列組み合わせの数は、理論上、40×40×40×40＝256万通り、となる。遺伝子自体の数は、40＋40＋40＋40＝160個であるにもかかわらず、ここから膨大なレパートリーが生み出されることになる。

そして、B細胞ではまさにこのような抗体DNAの遺伝子再編成が起きており、それがB細胞ごとの抗体レパートリーの多様性を生み出していたのだ。私たちがあらゆる感染症になんとか対応できるのは、あらかじめ準備された、このランダムな過剰さの発生によるのである。あとは環境がそれを彫琢する。

ここでは詳述しないが、抗体の多様性を生み出すもうひとつの仕組みとして、個々のアミノ酸の変化を生み出すような、積極的なDNA上の突然変異を起こすメカニズムがある。

免疫システムは、DNAのランダムな組み換えとこの積極的な変異によって、一〇〇万通り以上に及ぶ抗体を準備する。この中のどれかがいざというとき役立てばよい。大半の抗体は使われないまま終わる。

長い目で見れば、これが想定外の事態に対する最良の対策であったことは、過去何億年にもわたり、いかに環境が激変しようとも、どんな感染症に見舞われようとも、一度たりとも途切れることなく生命が続いてきた事実が証明している。

精妙な免疫システムが進化するのは、脊椎《せきつい》＝造血器官が発達する魚類以降だが、それ以前の生命にも原始的な免疫系があった。そして何よりも、「設計的」ではなく、「発生的」に、過剰さをまず用意し、環境にそれを彫琢させるという原理は、生命誕生以来、生命が選択した方法だった。

もうひとつの彫琢：自己の刈り取り

ランダムな過剰さは、未知の環境との遭遇に対して、豊穣《ほうじょう》なオプションを与える。一見、無駄が多いように見える過剰さは、想定外の出来事に対する保険となる。つまり時間軸を伸ばして考えると、無駄は無駄ではなく、将来に対するもっとも有効な投資となる。

しかし、ランダムな過剰さは、ときとして両刃《もろは》の剣《つるぎ》にもなりうる。それが、免疫システムが直面しなければならないもうひとつの試練だった。

遺伝子の再編集によって、抗体は一〇〇万通り以上のレパートリーを得た。このランダムな過剰さは、未知の敵と戦うための、このうえのないリソースとなりうる一方、それは自分自身に向けられたとき、危険きわまりないものとなる。抗体のレパートリーが内包するランダムな過剰さの中には、それがランダムであるがゆえに、自分自身の細胞表面のタンパク質に接着し、攻撃してしまうような、危険な対〝自己〟抗体が必然的に生じてしまうことになる。

ランダムな過剰性を構築する時点で、免疫システムは、外敵と自分自身を区別できない。つまり、免疫システムは、自己と非自己を知らない。いかにして免疫システムは、この重大な認識を得ることができるのだろうか。ここにも、過剰さと彫琢によって生命システムが「発生的」に構築される、驚くべき精妙さが存在していた。

胎児のB細胞の内部で、抗体遺伝子の再編集が進行すると、細胞ごとに、ランダムな、異なるタイプの抗体を産生できるようになったB細胞の集団が形成される。これこそが免疫システムの初源的な本体と言ってよい。

B細胞は、固有の抗体を、自身の細胞の表面にアンテナのように突き出して外界の様子を探り始める。そして、B細胞の集団は、このあと血管網・リンパ管網を通って、胎児の身体の中の、あらゆる場所をめぐる旅に出る。しばしのあいだ、ぐるぐるぐるぐる循環を繰り返す。

そして、ここがもっとも重要な点なのだが、この旅の途中で、自分の身体を構成する細胞や自分のタンパク質と結合してしまう抗体を産生してしまったB細胞は、（ランダムさゆえに必ずそういうB細胞が生じる）、なんと自殺してしまうのである。

自分が作り出した抗体が、自分の身体を傷つけることを知ったB細胞は、細胞の自殺プログラム（「アポトーシス」という）を起こして、自らを破壊してしまうのだ。

かくして、このプロセスにおいて、ランダムな、一〇〇万通り以上の抗体レパートリーを有するB細胞の集団のうち、自分自身と反応した細胞、つまり自己を知った細胞は、排除・消去されてしまう。一方、ここで生き残ったB細胞たちは、自分以外の敵、すなわち非自己と戦うために温存され、出生後、環境と対峙《たいじ》することになる。

それがゆえに、免疫システムの初源的な本体と先に書いたB細胞集団の中から、ぽっかりと抜け落ちた空疎な空間、それが免疫システムにとっての〝自己〟なのである。自分の内部に、ほんとうの自分を探してはならない。なぜなら、自己はどこまでいっても、虚無であり、空洞（ヴォイド＝void）なのだから。

これもまた、生命が本来的に宿命としている過剰さと彫琢（この場合は、刈り取られたほうに〝自己〟がある）の物語である。このメタファーはあらゆるところに見え隠れして、私たちを喚起し続ける。

敬愛する免疫学者、故・多田富雄《ただとみお》の『免疫の意味論』（青土社）は、ひたすらこのvoidについて語られた名著だった。カバーには、人型に切り抜かれた永井俊作《しゅんさく》の絵が象徴的に置かれていた。あるいは、私の好きな彫刻家、イサム・ノグチの作品で、キューブや巨石や彫像の内部が、常に、くり抜かれた虚無的なvoidになっているのも、日米のあいだで引き裂かれた出自を持ち、内面で「越境者」とならざるを得なかった彼自身の自分探しの必然的な帰結であったろう。

生命システムは、いずれも完璧《かんぺき》に遂行されることはない。どんなに厳密に構築されたシステムも、あるいは多重のフェイル・セーフ機構に守られたシステムも、わずかながらシステムにリークやホールが生じる。免疫システムが自己を攻撃するB細胞を自殺プログラムによって排除するシステムにも稀《まれ》に排除ミスが生じる。これは出生後にも、自分自身を攻撃する抗体を産生するB細胞が体内に残存しうることを意味する。

なんらかの刺激によってそのようなB細胞が増殖すると、自己抗体の量が増し、自分自身の細胞や組織が攻撃を受けてしまうことになる。これがいわゆる自己免疫疾患である。ある種のリューマチや、エリテマトーデス、アトピーのうちいくつかの症例などは、これらに分類される。自らの免疫系が自らを攻撃する、つまりフレンドリー・ファイアー（兵士が誤って自軍の兵士を撃ってしまう事故）であり、難治性疾患に分類される。

生命系に内在するこのようなシステム・エラーは、さまざまな不都合をもたらす一方で、しかし、その揺らぎこそが生命を動的なものにする。

その最たる例は、ＤＮＡの複製機構に含まれるわずかな揺らぎである。ＤＮＡがコピーされるとき、低い確率ながら、不可避的に、いくつかのコピーミス（遺伝情報文字の校正ミス）が生じる。これが突然変異であり、これは長い時間のスパンにおいて、生命を進化させることにつながっている。もし、ＤＮＡ複製機構が一〇〇％完璧なコピーを実行するのなら、地球にはいまだに初源的な単細胞生物しか存在していないだろう。

揺らぎに功罪両面の作用があること、つまり相反する二つの作用が常に拮抗《きっこう》しながら併存していること、すなわち「逆相関」――これは西田幾多郎《にしだきたろう》の言葉でいえば、絶対矛盾的自己同一であるが――これこそが、生命を生命たらしめる「動的平衡」の本質であるといえる。

ウイルスとは何か

このような視点から、今回のコロナウイルスパンデミックの生物史・進化史的な意味を再考してみたい。

私は、パンデミックが世界的に急拡大する直前、長年の夢だった（それこそ少年時代からの憧《あこが》れだった）ガラパゴス諸島探検の旅を実現することができた。ガラパゴス諸島とは、今から二〇〇年ほども前、後に進化論を打ち立てることになる若き日のチャールズ・ダーウィンがビーグル号に乗って訪問した絶海の孤島群である。

私は、ダーウィンの航路を忠実に再現する船旅をし、彼が見たであろう荒涼たる溶岩台地と、ゾウガメ、イグアナ、ペンギン、グンカンドリなどが、人間の手が及ばない自然界の中で自在に振る舞っている様子を目の当たりにして、深い感動を覚えた。


その興奮も冷めやらぬまま、海外の研究拠点であるロックフェラー大学がある米国ニューヨーク市（以下、NYと略す）に行って、荷解きと長旅の骨休めをすることにした。そこにパンデミックが襲いかかってきた。対岸の火事だったコロナウイルスが、北米と南米に急激に広がって、たちまち渡航規制が敷かれ、NYは都市ロックダウンの規制下に置かれた。ガラパゴスの旅程がほんの少し後ろにずれていたなら、私は島から外へ出られなくなっていただろう（それはそれで得難い体験かもしれなかったが）。

ＮＹの街からは観光客もビジネスマンの姿も消えた。それはまるでハリウッドのＳＦ映画のＣＧ処理された一シーンのように、非現実なパラレルワールドだった。アパートの一室に強制的に隔離されてしまった私は、もともと引きこもり体質でもあったから、この機を奇貨として、ガラパゴスの旅を反芻《はんすう》するとともに、読書や執筆に集中することにした。

半年近くに及んだＮＹ封じ込め期間は、私をして、ガラパゴスの旅をめぐるノンフィクションの旅行記と、そこからスピンオフしたフィクションの物語を、ほぼ同時に、一気に書き上げるという、実り多き時間をもたらしてくれた（＊注　２６０ページ）。

一方で、日々報道される患者数の上昇や、医療現場の混乱のニュースに緊張を強いられつつ、このパンデミックの意味を考え続けた。


読書といえば、あまり新しい本を読む気になれず、昔読んだ本（つまり安心して読める本）を再読することにした。そこで読んだのが、村上春樹《むらかみはるき》の大作『１Ｑ８４』（新潮社）だった。ヤナーチェクの「シンフォニエッタ」が鳴り響く中、いきなり、疾走するようなスリリングな展開に引き込まれる。秘密の暗殺計画に赴く主人公の女性、青豆は、渋滞する高速道路から脱出する非常階段を降りる途中、一九八四年の東京から、1Q84年の東京に、時空をスリップしてしまう。

『1Q84』は、二〇〇九年から刊行された。今（二〇二二年）読み返してみると、小説家の恐るべき想像力によって、物語の構造が、たくまざる予言の書になっていることに驚かされる。

青豆は、ある新興宗教団体信者の娘として生まれ、自らの出自に苦しむ。つまり、これはそのまま、現在、世論を沸騰させている宗教二世の問題に他ならない。

そしてこの小説に登場する、もうひとつの暗喩《あんゆ》は、「リトル・ピープル」である。リトル・ピープルとは、文字通り、小人であり、人が死ぬと、その口から這《は》い出してきて、別の人に乗り移っていくような、謎めいた、幻覚的な表象として描かれる。人に害をなすようでいて、かといって一方的に邪悪なものともいえない。ある種の両義性を持った存在、あるいは非存在。小説では、こんなふうに記述される。

「山羊《やぎ》だろうが、鯨だろうが、えんどう豆だろうが。それが通路でありさえすれば」そこに姿を現し、私たちを利用して世界を一変させるリトル・ピープル。

それは「着実に我々の足元を掘り崩していく」不可思議なもののメタファーとして描かれる。

これはまさに……今、読むとたったひとつの解答しか思い浮かべることができない。リトル・ピープルとは、まさに、コロナウイルス（的なもの）の暗喩に他ならないではないか。小説家の恐るべき想像力、予言の書とはこういうことなのである。

もともと私は、小説のこの箇所を読んだとき、「えんどう豆」という言葉に大いにひっかかりを感じた。生物学で、えんどう豆といえば、「メンデルの法則」である。メンデルの法則というのは、遺伝子の作用を示す法則である。

だから、当初、私は、「着実に我々の足元を掘り崩していく」リトル・ピープルとは、好むと好まざるとにかかわらず、私たちを攻撃性や暴力に向かわせ、欲望と執着に接着する〝遺伝子（的なもの）〟の暗喩として読んだのだった。

しかし、今、再読してみれば、リトル・ピープルの変幻自在さ、神出鬼没さは、動く遺伝子としての、ウイルス的なものとして捉え直すほうがより的確かもしれないと思える。

そして、リトル・ピープルは、善悪と功罪を併せ持ったような両義的な存在であること、そして、あらゆる通路を介して、私たち生命体の内部を通過していく自由自在な存在として、まぎれもなく、ウイルス的なものなのである。

リトル・ピープルが、外来物ではなく、私たち自身の一部であることとまったく同じ意味において、ウイルスもまた私たち自身の一部なのだ。両義性、自在さ、私たちと不可分の存在であることからウイルスを今一度、考えてみたい。


コロナウイルスが突如、私たちの前に姿を現し、世界中を混乱の中に陥れたとき、私たちはまるで、宇宙から飛来した未知の生命体が襲撃してきたかのように、極度のパニックに陥った。

しかしそれは間違っていた。ウイルスは急に私たちに襲いかかってきたわけではない。ウイルスはずっとそこにいた。それは生命系の環《わ》の一部だったし、私たちの敵というよりは、旧来の友人であり、常に両義的、あるいは、互恵的に作用する相補的な存在でもあった。それは、ウイルスが私たちに接触してきたとき、私たちの身体が示す、ある意味で好意的な対応を見ればおのずとわかることである。

細菌は普通の光学顕微鏡（倍率数百倍）で見えるが、ウイルスはさらに高倍率の電子顕微鏡（倍率数千倍）でしか見ることのできない極小の粒子である。野口英世《のぐちひでよ》が〝発見〟したとされる黄熱病の病原体は、後にウイルスであることが判明した。野口が使っていた光学顕微鏡では、結像することがない病原体だった。彼はいったい何を見て〝発見〟を確信したのだろうか。電子顕微鏡が登場したのは野口の死後のことだったことはある意味幸いだった。

ウイルスは、生物と無生物のあいだにただよう奇妙な存在だ。それは生命をどう定義するかによって、両義的に変化しうる。

生命を、自己複製を唯一無二の目的とするシステムである、と利己的遺伝子論的に定義すれば、宿主から宿主に乗り移って自らのコピーを増やし続けるウイルスは、とりもなおさず生命と呼べるだろう。
しかし生命をもうひとつ別の視点から定義すれば、そう簡単な話にはならない。それは生命を、絶えず自らを壊しつつ、常に作り変えて、「エントロピー増大の法則」に抗《あらが》いつつ、あやうい一回性のバランスのうえに立つ動的なシステムである、と定義する見方——つまり、動的平衡の生命観——に立てば、代謝も呼吸も自己破壊もしないウイルスは、生命とは呼べないことになる。

動的平衡の視点から見ると無生物のウイルスだが、ひとたび宿主に感染すると、動的平衡の環の中に入り、生物的に動き出す。しかし、ウイルスの振る舞いをよく観察すれば、ウイルスは自己複製だけをする利己的な存在ではない。むしろウイルスは利他的な存在である。

ウイルスは、蚊のようにヒトを選択して接近してくるわけではない。一方的に襲撃してくるわけでもない。そもそも、ウイルスは、飛行することも、自走することもできない。夜の街を徘徊《はいかい》することも、繁華街に集まることもできない。ウイルスはただそこにいるだけである。ウイルスを受け入れるのも、ウイルスを移動させるのも、増殖させるのも、ウイルスを受け渡すことも、すべては宿主たるヒトが行っている。

しかも、ヒトは、ウイルスを〝積極的〟に、ある意味では〝好意的〟に、導き入れている。

コロナウイルスが、ヒトの細胞に取り付く際、まず、ウイルス表面のコロナ（王冠）状の、トゲトゲ型のタンパク質が、宿主の細胞表面に存在する、血圧調整に関わる酵素受容体（ACE2レセプター）というタンパク質と強力に結合する。これはたまたまのようにも思えるが、宿主のタンパク質とウイルスタンパク質にはもともと親和的な関係があったとも解釈できる。

それだけではない。ウイルスと宿主の細胞が結合すると、さらに細胞膜に存在する宿主のタンパク質分解酵素（TMPRSS2）が、ウイルスタンパク質に近づいてきて、これを特別な位置で切断する。するとその断端が指先のようにするすると伸びて、ウイルスの殻と宿主の細胞膜とを巧みにたぐりよせて融合させ、ウイルスの内部のRNAを細胞内に注入する。かくしてウイルスは宿主の細胞内に感染する。

このプロセスを見れば、宿主側が極めて積極的にウイルスを細胞内部に招き入れているとさえいえる挙動をしていることがわかる。

これはいったいどういうことだろうか。ウイルスの起源について思いを馳《は》せれば、謎はおのずと解けてくる。


ウイルスは極めて単純な構造をした微細粒子である。DNAもしくはRNAが、タンパク質や脂質の殻の中に入ったもので、ひとつの細胞よりずっと小さく、細胞の複雑さに比べれば、おもちゃのようなものである。代謝も呼吸もしていない。

この単純さゆえ、ウイルスは、生命発生の初源的なプロトタイプだと思われがちであるが、そうではない。数十億年前の太古の化石から単細胞生物は検出できるが、ウイルスは発見されていない。むしろ、ウイルスは、高等生物が登場したあと、その副次的な派生物として初めて現れた。

高等生物の遺伝子の断片がちぎれ、細胞膜の破片に包まれて、宿主細胞から飛び出したもの。それがウイルスの起源である。つまり、ウイルスはもともと私たちの一部だった。

ウイルスとは宿主細胞から見れば、あるとき急に出奔《しゅっぽん》してそのまま行方不明になった放《ほう》蕩《とう》息子のようなものである。

その証拠に、ウイルス遺伝子の多くは、宿主細胞のゲノム遺伝子に類似の配列を見出すことができる。むろん、放蕩息子のうちほとんどは環境中に放出されたとたん、漂流し、あるものは分解され、また別のものはたちまち酸化され、消滅してしまった。

しかし稀に、運よく、別の宿主細胞に漂着することができたものがいた。放蕩息子は、宿主細胞の中に潜り込み、細胞のシステムを寸借《すんしゃく》して自分自身を複製することに成功する。増殖した放蕩息子たちは、宿主細胞を離れてまた放浪の旅に出る。

この間、放蕩息子の持ってきた遺伝子の一部は、宿主細胞のゲノムの中に入り込み、また宿主細胞のゲノムの一部は、放蕩息子に手渡されることもあっただろう。放蕩息子たち、すなわち、後にウイルスと呼ばれるようになった遺伝子を包む微粒子は、宿主から宿主に、粛々と乗り移りながら、少しずつ変化を遂げていった。

一方、宿主細胞のほうも、ウイルスから新しい遺伝子情報を受け取ることもあったろう。つまり、ウイルスは遺伝子の伝達役を担った。

この放蕩息子が、長い旅を経て、再びまたもとの宿主細胞のもとに戻ってくるようなこともありえる。その際、放蕩息子は、もとはといえば宿主細胞の一部だったから、親和性のあるタンパク質を介したり、細胞接着を補助したりするようなことも、容易に起こりうることになる。

変異を遂げたコロナウイルスが、コウモリかセンザンコウかはわからないが、宿主から宿主への巡礼の旅の末に、私たちヒトのもとに戻ってきた。それが今回の新型コロナウイルスだったのである。それゆえに、私たちはかつて（それはいったい何万年前の出来事かはわからないが）家出した放蕩息子の帰還を迎え入れているのだ。

なぜ、私たちはウイルスを歓迎するのか。それは、これまで述べたように、ウイルスこそが進化を加速してくれるからだ。親から子に授受される遺伝子情報は、常に垂直方向にしか伝達しえないが、ウイルスは縦糸に対する横糸のように、遺伝子を水平方向に伝達しえる。しかもときとしてその伝達は、種を超えるものとして移動しえた。

すべての生命現象は、進化の光のもとに見なければならない。現在、地球上に存在している生命体は、すべて進化上の意義を持ちえたがゆえに存在している。ウイルスの存在は、生命進化の重要な担い手として意義を持ちえたからこそ、淘汰《とうた》されることなく、生命系の一員として今日存在している。それゆえにウイルスが進化のプロセスで温存されたのだ。おそらく宿主にまったく気づかれることなく、行き来を繰り返し、さまようウイルスは何百何千と存在していることだろう。

ウイルスのもうひとつの機能：免疫系の彫琢

ウイルスによる遺伝情報の水平移動は、生命系全体の利他的なツールとして、情報の交換と包摂に役立っていった。ウイルスは決して、利己的存在ではないのだ。

しかし、ウイルスとの遭遇は、ときに宿主に過剰な症状をもたらし、死に至らしめることもある。これはどう考えればよいだろうか。

ウイルスが病気や死をもたらすことですら、生命進化における長い時間軸から光を当ててみれば、十分に利他的な行為といえる。ウイルスは、免疫システムの過剰さを彫琢し、免疫システムを鍛えているのだ。

ときに病気は、免疫システムの動的平衡を揺らし、新しい平衡状態を作り出すことに役立つ。COVID－19（新型コロナウイルス感染症）にかかった人は、自然免疫系（これは本稿では十分に説明しなかったが、B細胞による抗体産生に先立つ、初期消火的な防御システム）の立ち上がりを鍛えられることになる。そしてB細胞系は、コロナウイルスに対して免疫学的記憶を獲得した。

そもそも、COVID－19の諸症状は、ウイルスが毒素を出したり、何らかの害作用を仕掛けたりしているのではなく、ウイルス感染という事態に対処した身体の側の反応である。免疫系が活性化されたことの帰結である。それが、アンバランスに過剰反応すると、免疫システムを暴走させ、重症化をもたらす（サイトカインストームと呼ばれるものも、これに当てはまる）。ウイルスが悪いのではなく、宿主側が悪いのだ。

そして、誤解を恐れずに言えば、個体の死は、その個体が占有していた地位、つまり食や空間を含むニッチ（生態学的地位）を、新しい生命に手渡すということ、すなわち、生態系全体の動的平衡を促進する行為である。つまり個体の死は最大の利他的行為なのである。ウイルスの存在はそれに手を貸している。パンデミックには、生態学的な調整作用があると言ってよい。人類史を眺めれば、私たちは絶えず、さまざまなウイルス（を含む病原体）とのせめぎ合いを繰り返してきたことがわかる。ウイルスは、その都度、生き延びるものと死ぬものを峻別《しゅんべつ》し、生き延びるものには免疫を与え、人口を調整してくれた。つまり生命の動的平衡を維持してきた。

（誤解を恐れずに、というのは、このコロナ禍で、重篤な症状に陥った人、あるいは不幸にして亡くなった人に対して、この言い方は、「配慮がない、不謹慎である」、という批判が起こりうることを十分承知のうえであえて言えば、ということである。至近距離的に見れば、そして個別的に見れば、もちろん、そのような事態は人生の悲劇である。私としても同情を禁じえない。が、私はあえて、長い時間軸の射程をもってこのことを論じている）

今後、コロナウイルス感染は、収束したかのように見えてまた増大するなど、長い時間にわたって私たちを悩ませることになるだろう。これは、中世の黒死病、一〇〇年前のスペイン風邪のように、歴史の教科書に特記されるような世界史的事件となるはずだ。

では、いったい私たちはどうすればいいのだろうか。

一言でいえば、ウイルスという自然が、私たちの動的平衡としての生命を彫琢し、調整することを受け止め、それが私たちの内部を通り抜けていくのを待つしかない、ということである。自然を、制圧すべきものとしてではなく、〝正しく畏《おそ》れる〟対象として捉え直すこと、つまり、古くて新しい生命哲学が必要である。畏れるとは、むやみやたらに恐怖を抱いたり、強迫観念にとらわれたりすることなく、自然に対する畏敬《いけい》の念を持つということである。

人類は過去、さまざまな感染症や自然災害の試練をくぐり抜けて――つまり彫琢を受けつつ――何とか生き延びてきた。

黒死病は、不吉な星の運行と邪悪な瘴気《しょうき》ガスによる災悪とされたが、やがて時を経て、それがペスト菌という細菌による感染症であることがわかり、社会環境が整えられ、公衆衛生の意識が高まった。つまり、正しく畏れるようになれた。

スペイン風邪は——当時、まだウイルスという超微細な病原体が存在することは知られていなかったが——それが多くの人々の身体を通り抜けたあと、集団的な免疫をもたらし、事態は収束に向かった。後に、スペイン風邪は、スペインとはまったく関係なく、折しも第一次世界大戦とともに、世界中に伝播《でんぱ》したインフルエンザウイルスが原因だと同定された。

現在、私たちは、インフルエンザを季節性の感染症のひとつと捉え、ときに変異型が出現するものの——そして例年、重症者や死者が出るものの——パニックになったり、ヒステリックなマスク警察が現れたり、ロックダウンが強行されたりすることはなく、その存在を受け入れている。つまりウイルスと共存している。

新型コロナウイルスに関しても、長期的に見れば、ウイルスと、その宿主であるヒトのあいだに、ある種の動的平衡が形成されるのは間違いない。ウイルスにとっても、宿主に重大な害作用や致命傷を与えないほうが、自らの増殖に好都合だからである。「新型コロナウイルス」はやがて「常在型コロナウイルス」となる。

インフルエンザと同様、重症化すればリスクはあるものの、そのリスクを受容しつつ、大半のケースでは軽度の症状をもたらすだけの、ふつうの風邪ウイルスのひとつとして認識され、年ごと、季節ごとに消長を繰り返すものとして、ヒト・ウイルスの共生関係が形成されていくだろう。

私たちはこれまでも、これからもウイルスと共存し、共生していくしかない。私たちは、ウイルスと対峙したり、対決したりすべきではない。ＡＩやデータサイエンスといった最新のテクノロジーで、ウイルスをゼロにしたり、アンダー・コントロールに置いたりすることは無理な抵抗である。リトル・ピープルと同様、ウイルスは、そこに通路さえあれば姿を現す。制圧しようとすれば、変幻自在に変化して、制圧の網目を通り抜けて漏れ出してくる。

なぜならウイルスは地球生命系という大きな動的平衡の一部であるからだ。自然の環のひとつであるからだ。ゆえに、それを根絶したり撲滅したりすることはできない。

無理に制圧や管理を強行すれば、自然の環が切れて、動的平衡が乱れる。流れるものを止めてはいけない。止めるとその膨圧はどこかに密《ひそ》かに蓄積され、リトル・ピープルはあるとき、とてつもないリベンジをしかけてくることになる。

つまりそれは、動的平衡としての生命の自由さ自体が、大きく損なわれてしまうことに他ならない。動的平衡はいつも、過剰さと彫琢の、精妙な流れのバランスのうえにこそ成り立つ。

（＊注）旅行記とスピンオフしたフィクションは以下の通り。
『生命海流 ＧＡＬＡＰＡＧＯＳ』（朝日出版社、二〇二一）
『新ドリトル先生物語　ドリトル先生 ガラパゴスを救う』（朝日新聞出版、二〇二二）

サンガー会の思い出——あとがきにかえて

ニセモノのヌクレオチド、つまりダイデオキシヌクレオチドを使って、DNA合成を途中で止め、その止まったところのヌクレオチドの種類を読み取ることによって、順次、DNAの遺伝暗号を一文字ずつ解読していく。根気のいる、しかしこの画期的な方法の原理を最初に編み出したのが、英国の一九一八年生まれの生化学者フレデリック・サンガーである。

サンガーはある意味で職人肌の科学者で、その一生をタンパク質のアミノ酸配列の解析と、ついで、核酸（DNAとRNA）のヌクレオチド配列（つまり遺伝暗号）の解読に捧《ささ》げた。シークエンスオタクともいえるし、エジプトの古代文字ヒエログリフを解読したシャンポリオンや、ドイツの軍事暗号エニグマを解読したチューリングにも比肩《ひけん》されるべき人物である。

タンパク質は、二〇種類の異なる性質を有するアミノ酸の連結によって構成されている。

アミノ酸の順列組み合わせがタンパク質の特性を決める。だから、タンパク質のアミノ酸配列を解析することは、タンパク質の研究にとっては第一義的に重要な課題となる。また、タンパク質のアミノ酸配列こそが、遺伝情報そのものであるから、タンパク質のアミノ酸配列を一部でも取得することができれば、それを遺伝暗号に逆翻訳することによって、そのタンパク質をコードする遺伝子をクローニングする（ゲノムの森の中から釣り上げてくる）こともできる。

サンガーは、まず若き日の研究目標を、タンパク質のアミノ酸配列解析法の開発に決めた。サンガーは、タンパク質自身を傷つけることなく、先頭からひとつずつアミノ酸を切り離す化学反応を開発した。そして切り離されたアミノ酸が二〇種類のうちどれなのかを決定するクロマトグラフィーという方法を確立した。これを繰り返すことによって、ひとつずつアミノ酸配列を解読していく。この方法を使ってサンガーは、インシュリンの全アミノ酸配列を決定した。三〇代をこの研究に費やしたサンガーは、四〇歳のとき、ノーベル化学賞を得た。

ふつう、ノーベル賞を獲得してしまうと、科学者は人生すごろくの輝かしいあがりとなり、殿堂に祀《まつ》り上げられ、講演会に引き回されたり、組織のトップについたりして、研究の一線から退いてしまうことが多い。しかし、サンガーは、生涯一研究者を貫き通した。

彼が、次の研究目標としたのが、ＤＮＡの遺伝暗号解読法だった。そして見事に画期的な解読法となったダイデオキシヌクレオチドを利用する方法を編み出した。タンパク質の解析とは発想を逆転し、ひとつずつ切り取るのではなく、ＤＮＡ鎖を一単位ずつ伸展していく方法が、ダイデオキシヌクレオチド法である。この方法――サンガー法とも呼ばれる――は、高度に自動化・高速化されたＤＮＡシークエンス装置の内部でも今もなお採用され、ゲノム解析に多大なる進展をもたらした。

サンガーは、六二歳のとき、このＤＮＡ解読法の業績に対して二度目のノーベル化学賞を得た。生涯に二度、ノーベル化学賞を得た人物はサンガーが初めてである。実はそれだけではなかった。彼はさらに、ＲＮＡの暗号解読法も解明したのである。三度、ノーベル化学賞に輝いても全然不思議ではなかったが、これに対しての受賞はなく、二〇一三年、九五歳の研究人生を閉じた。

私は学生時代、このサンガー先生に敬意を表し、サンガー会という内輪の勉強会を作っていた。この勉強会で、出版されたばかりの大部の分子生物学の教科書を一から読むことにした。その日の実験が終わる（実験系の学生は研究室内で一日のほぼすべてを過ごす）。晩飯を食べて一息ついてからサンガー会が始まる。あらかじめ数ページほどの範囲を決め、予習をしておく。会では互いに重要ポイントについて質問を行い、回答する。この単純な仕組みがよかったのだろうか、夏は蒸し風呂、冬は底冷えする京都で、私たちはほぼ毎日、雨が降ろうが雪が積もろうが、サンガー会を開いた。そして一年半ほどかかって一〇〇〇ページ近い教科書の端から端まで全部を読了した。分子生物学という広大な学問のおおよその見取り図を見渡すことができるようになったのは、まぎれもなくこのサンガー会のおかげだ。

私は現在、日米を行ったり来たりしながらの生活を送っている。米国の拠点は、ニューヨーク市にあるロックフェラー大学だ。かつて——もう三〇年以上も前のことだが——私はここでポスドク（ポストドクトラル・フェロー）として研究修業をしていた。日本語に訳すと「博士研究員」となるこのポジション、ありていに言うと〝研究奴隷〟、いや、すずめの涙ほどの給金があるので、奴隷というのは言い過ぎだが、今の言葉でいうところのブラック企業の従業員。

科学の世界における研究室体制はまさにブラック企業だ。ノーベル賞をとるような（あるいはすでにとったような）有名な研究者は、一大研究チームを有名大学内に組織して、そのボスとして君臨している。多額の研究資金を集めて、世界中から若手研究者を募集し、選考のうえ、雇い入れる。それがポスドクだ。ポスドクは未来のノーベル賞を夢見て意気揚々とやってくるが、たちまち現実の厳しさに打ちひしがれる。ボスの命令のもと、徹底的に働かされるのだ。それも極めて安い給料で。

私が一九八〇年代の後半、ポスドクになった頃の初任給は年二万ドルだった（当時の換算でも年収二五〇万円）。研究は長時間労働だ。実験は、早朝から深夜までかかる。残業手当などもちろんない。ニューヨークのアパートの高い家賃を払うと、ほとんど残らない。もちろん住める場所も最低限のボロアパート。同じく給料の安い若者とシェアしている人たちも多かった。そしてボスはものすごいプレッシャーをかけてくる。働け、働け。早くデータを出せ。論文を急げ。ライバルチームに負けるな。もっと集中しろ。ボスの研究プロジェクトの傭兵《ようへい》として、ボロ雑巾のようにこき使われた。

しかし、私たち研究者の卵は、このプロセスをくぐり抜けなければ一人前になれない。理系研究者の人生は独り立ちするのに非常に時間がかかる。まずは大学の理系学部に四年、ついで大学院博士課程に五年。もうこれで二〇代後半となるが、まだ全然食えない。このあと海外に出て三年から五年ほど武者修行する。それがポスドク期間である。ポスドク期間に、ボスに実力を認められ、ボスが満足するような研究成果を挙げることができれば、ようやく独り立ちのためのパスポートを手にできるのだ。だから研究者にとってポスドク期間は絶対に逃げることのできない通過点となる。

私はこのポスドク期間、せっかく世界の文化と芸術の中心地・ニューヨークに住んでいるというのにもかかわらず、自由の女神にもエンパイアステートビルにも行ったことがなかった。精神的にも、経済的にもまったく余裕がなかったからである。とにかく研究のことだけで頭がいっぱいだった。言葉の壁があるため、とにかくがむしゃらに働いて身体《からだ》で結果を示すしかなかったのだ。

そんなにまで追い詰められて研究生活を送っていたポスドクの日々だが、ずっとあとになって振り返ってみると、それはまったく意外なことに、私にとってある意味で人生最良の日々だったと思えるのだ。つまり、いっさいの雑念と雑事から解放され、自分の実験研究のことだけを考え、それを探究することだけに専心していればよかった期間。そんな時間は、そのあと二度と得られることはなかったのである。

同時に、観光名所に足を運んだことはなかったとはいえ、ニューヨークというこのエネルギーに満ちあふれた街の振動が、私の身体の奥底に刻み込まれてしまったのだった。これは不思議な感覚となってずっとあとあとまで私の中でくすぶっていた。結局、三年ほど、ポスドク生活を送ったあと、私はホームシックにかかって、学生生活を送った京都大学の講師の職を得て、日本に帰国することになり、そこで十数年を過ごすことになったのだが、ふと物思いにふけるとき、あるいは、なにか不愉快なことが起きるたび、私はしばしば自分の内部に音もなく湧き上がってくるニューヨークの振動を感じ取ることができた。それはなつかしい憧憬《しょうけい》のようなものでもあり、同時に、いてもたってもいられない渇望、あるいは禁断症状のようなものでもあった。

さらにそこから十数年が過ぎた頃、私は京都を去って、東京の私立大学に教授職を得て、生まれ育った東京の地に戻っていた。この間の経緯は語ろうと思えば語ることも多々あるのだが、今はやめておこう。この私立大学のよいところは、真面目に勤続しているとそのうち「サバティカル」という研究休暇をもらえることだった。そのあいだは、大学の教育デューティから免除されて、どのようなかたちでも、どこに行くこともできる。そこで英気を養い、新しいことを吸収し、研究に専心する期間を過ごすことができる。

そのサバティカルが運よく私にもめぐってきた。鮭《さけ》がもとの川に戻るように、あるいは渡りをする蝶《ちょう》が自分の育った森を目指して飛翔《ひしょう》を続けるように、私は自分の再・充電期間を過ごす場所を、かつて過ごした地、ニューヨークのロックフェラー大学にすることにまったく迷いがなかった。

福岡伸一

福岡伸一〔ふくおか・しんいち〕

1959年、東京都生まれ。京都大学卒業後、ハーバード大学医学部博士研究員、京都大学助教授などを経て、青山学院大学教授・ロックフェラー大学客員教授。研究に取り組む一方、「生命とは何か」について解説した書籍や、フェルメールについての解説書、エッセイなどさまざまなジャンルの著作を発表している。主な著書に『生物と無生物のあいだ』（講談社現代新書）や、『福岡伸一、西田哲学を読む』（共著、小学館新書）、『生命海流　GALAPAGOS』（朝日出版社）、『新ドリトル先生物語　ドリトル先生ガラパゴスを救う』（朝日新聞出版）など。「動的平衡」シリーズでは、対談集『動的平衡ダイアローグ』（木楽舎）も刊行されている。

編　集：園田健也
編集協力：実沢真由美

新版　動的平衡3
チャンスは準備された心にのみ降り立つ

二〇二三年　二月　六日　初版第一刷発行
二〇二三年　三月　四日　第二刷発行

著者　福岡伸一
発行人　下山明子
発行所　株式会社小学館
〒一〇一－八〇〇一　東京都千代田区一ツ橋二ノ三ノ一
電話　編集：〇三－三二三〇－五一一二
販売：〇三－五二八一－三五五五

印刷・製本　中央精版印刷株式会社

Printed in Japan ISBN978-4-09-825444-6